COMPÉTENCES

COMMUNIQUER À L'ECRIT

NIVEAU PERFECTIONNEMENT

Guy Capelle

B2-C1

CLE
INTERNATIONAL
www.cle-inter.com

Crédits photos

p16g © WavebreakmediaMicro - Fotolia.com
p16d © Kaspars Grinvalds - Fotolia.com
p24 © DR
p28 © Pacojet (Own work) [Public domain], via Wikimedia Commons
p29 © Keystone / Stringer / GETTY
p33 ©Studio Mike / FOTOLIA
p37 © Ph. Coll. Archives Bordas © Adagp, Paris
p40 © cjb / DR
p41 mg ©Monkey Business - Fotolia.com
p41 md © 145/Marga Buschbell Steeger/Ocean/Corbis
p41 bg © WavebreakMediaMicro - Fotolia.com
p41 bd © Pietro Bevilacqua - Fotolia.com
p51 © Louise Wateridge/ZUMA Press/Corbis
p53 © BIS / Ph. H.Josse © Archives Larbor
p61 © minadezhda - Fotolia.com
p64 © anyaberkut - Fotolia.com
p69g © goldpix - Fotolia.com
p69m © Vladislav Gajic - Fotolia.com
p69d © torsakarin - Fotolia.com
p70 © javiindy - Fotolia.com
p71 © BIS / © Archives Larbor © Adagp Paris
p72g © BIS / Ph. Jeanbor © Archives Larbor
p72mg © BIS / Ph. de Selva © Archives Larbor
p72md © leemage.com
p72d © Bettmann/CORBIS
p72 © Hélène Bamberger / Cosmos
p75 © Robert Kneschke - Fotolia.com
p76g © neko92vl - Fotolia.com
p76d © kneiane - Fotolia.com
p78 © psdesign1 - Fotolia.com
p84 © BIS / Ph.Coll. Archives Larbor
p93 © Eric Fougere/VIP Images/Corbis
p97 © Jean-Pierre Fizet/Sygma/Corbis
p101g © zozulinskyi - Fotolia.com
p101m © Lilyana Vynogradova - Fotolia.com
p101d © BillionPhotos.com - Fotolia.com
p102 © blicsejo - Fotolia.com
p106 © unorobus - Fotolia.com
p112 © BIS / PH. Coll. Archives Larbor-DR

Direction éditoriale : Béatrice Rego
Marketing : Thierry Lucas
Édition : Virginie Poitrasson
Mise en page : Domino
Illustrations : Conrado Giusti
© CLE International/SEJER, 2016
Isbn : 9782090381900

AVANT-PROPOS

//

Cet ouvrage s'adresse à des apprenants adultes et adolescents ayant atteint le niveau B2 du *Cadre européen commun de référence pour les langues* et qui veulent, par exemple, entrer à l'université en France au niveau licence (**Français sur Objectifs Universitaires**). Il donne des techniques et des outils spécifiques aux apprenants qui veulent perfectionner leur compréhension et surtout, leur production écrites.

Ce manuel d'entraînement à la production écrite peut être utilisé en classe, en complément de la méthode FLE habituelle ou en auto-apprentissage.

L'écrit en FLE, longtemps négligé ou traité comme une simple transposition de l'oral, est revenu au premier plan dans notre vie quotidienne grâce à Internet qui permet une communication rapide et peu coûteuse. Rappelons aussi que l'écrit est beaucoup plus fiable que l'oral. Dans une conversation orale, il faut comprendre et parler rapidement. On n'a pas le temps de réfléchir longtemps à ce qu'on va dire. Les phrases sont souvent courtes, incomplètes, la syntaxe approximative. Par contre l'écrit est stable et permet le temps de la réflexion. On peut relire un texte qu'on n'a pas bien compris à la première lecture. On peut évaluer l'efficacité de ses propres textes et les perfectionner. L'écrit facilite l'auto-apprentissage et l'auto-évaluation. L'écrit n'est pas une simple transposition de l'oral sur le papier. Il obéit à des règles différentes. Cet ouvrage permet d'apprendre **les techniques et les stratégies qui vont servir à améliorer la qualité de la lecture et de l'écriture** en français de l'apprenant.

L'ouvrage se compose de **10 unités**, qui analysent la production écrite en allant de sa forme micro (le paragraphe, unité 3) à sa forme macro (le texte long, unité 7). **L'unité 1** est une unité d'**évaluation diagnostique** et permet à l'apprenant de faire le point sur sa sensibilité au contexte, sa ponctuation et sa compréhension des textes. **Les unités 8 et 9** peuvent être **consultées à tout moment** soit pour trouver des idées (unité 9), soit pour évaluer et améliorer les textes produits (unité 8). Enfin, **l'unité 10** aborde **l'écrit littéraire** en présentant les principales différences entre la langue commune et le langage littéraire (le décalage, la connotation, la rupture et le rythme).

Chaque unité comprend plusieurs sous-parties, toutes agencées de la même façon :
- On aborde le point à étudier en commençant par des activités de compréhension avec l'analyse d'images et de documents.
- Ensuite, plusieurs exercices de mise en application sont présentés. Tous ces exercices sont auto-correctifs et l'on peut se référer aux corrigés qui se trouvent en fin d'ouvrage.
- Enfin pour que l'apprenant puisse s'entraîner, l'ouvrage propose des activités de production écrite libre. Ces activités favorisent l'auto-évaluation et permettent de développer le sens critique de l'apprenant face à ses propres textes.

Dans l'encadré *Outils*, on retrouve l'explication des notions abordées, des conseils pour la production écrite, des flashs grammaticaux (les règles énoncées sont illustrées d'exemples) et des aides lexicales (*Des mots pour s'exprimer*). En fin d'unité, la rubrique *Faites le point* fait office de bilan. Elle permet une **évaluation formative**. Il y a également trois pages d'annexes situées en fin d'ouvrage.

CONSEILS :
- Travaillez à votre rythme régulièrement dans un endroit calme.
- Ne regardez surtout pas le corrigé avant d'avoir terminé l'exercice.
- Réfléchissez aux erreurs que vous avez commises.
- Quand vous préparez et rédigez vos exercices de production libre, laissez une marge sur le côté pour pouvoir raturer, modifier votre texte, l'évaluer et l'améliorer.

SOMMAIRE

UNITÉ 1

1. Complétez le texte avec les mots suivants :

expérience – vérifie – remarques – intellectuelle – malentendu – signe - détails – faire face – candidat

Pour passer avec succès un entretien d'embauche, il est préférable que le .... n'utilise pas les mots « jamais » et «toujours ». Ces deux mots seraient le .... de mauvais candidats qui pensent en noir et blanc, sans nuances, par manque de flexibilité .... Leurs réponses montrent de l'insécurité. Ainsi à la question : « Parlez d'une .... pendant laquelle vous avez subi des .... négatives de la part de votre employeur », on relève des réponses comme « Je n'ai jamais eu à .... à une telle situation », ou « Avant de commencer un travail, je .... toujours avec mon patron pour qu'il n'y ait pas de .... entre nous.» Un bon candidat montre son expérience. Il se rappelle d'exemples précis, raconte une situation dans les .... Un mauvais candidat dissimule son manque d'expérience en utilisant des réponses péremptoires.

2. Complétez le texte avec les mots suivants :

lumières – bâtiments – migration – protéger – villes – oiseaux migrateurs – année – décidé

Pour sauver les oiseaux migrateurs

Le phénomène est tellement important à New York qu'on le nomme « fatal attraction ». Cette attraction fatale, c'est celle des .... des buildings des grandes .... américaines qui aveuglent les .... habitués à s'orienter grâce aux étoiles et les conduit à leur perte : chaque .... aux États-Unis, ce sont des dizaines de millions d'oiseaux qui s'écrasent contre les vitres des .... C'est donc dans l'espoir de les .... que la ville de New York a .... de réduire l'éclairage nocturne. À chaque printemps et automne, c'est-à-dire pendant les pics de ...., la ville éteindra entre 23 heures et l'aube, les lumières qui brillent inutilement dans les bureaux vides mais aussi les lumières extérieures particulièrement éblouissantes.

3. Trouvez les mots manquants.

Par un beau .... d'été, alors que le soleil .... déjà à l'ouest, deux ....
filles roses et blondes, jouaient à la poupée au bord de la grande .... Depuis quinze
.... le temps était très beau, et le soleil avait donné aux .... blonds des fillettes,
des teintes dorées. Les deux .... avec lesquelles elles jouaient n'étaient pas neuves : l'une
avait le nez ...., l'autre avait .... ses yeux. Mais, malgré cela, les deux fillettes
les .... dans leurs bras en les .... comme s'il s'était agi de deux véritables
bébés.

Comment lire un texte ?

La lecture peut être une activité créative.

• Certains documents de la vie quotidienne se présentent sous une forme codée ou sont accompagnés de dessins ou de photos qui aident à la compréhension. C'est le cas des formulaires d'identité, des plans de ville, des cartes de vœux (naissance, mariage, état de santé, bonne année), des cartes d'invitation, des horaires de transport et de certains signaux routiers.

• Il faut aussi s'aider :
– du contexte qui nous offre des indices de compréhension du texte.
– des signes de ponctuation qui non seulement découpent les énoncés en groupes de sens, mais aussi donnent des indications sur l'enchaînement logique des phrases.

Le survol du texte : Au lieu de chercher des mots isolés, **on observe d'abord le texte comme un tout**. Il se peut qu'il y ait une illustration et/ou un titre qui peut vous donner une idée globale du sujet traité.

Ne pas s'arrêter aux mots qui bloquent la compréhension, mais relire rapidement tout le texte (**balayer** le texte), plusieurs fois s'il le faut, et faire une **hypothèse sur son contenu**.

Muni(e) de cette hypothèse de contenu, relire encore une fois le texte. On s'aperçoit alors qu'on peut réaliser des hypothèses de sens plus précises lorsque les mots sont en contexte, ce contexte est souvent redondant ou explicatif.

Vous pouvez décider de chercher dans un dictionnaire le sens d'un ou deux mots que vous jugez importants et qui bloquent votre compréhension.

OUTILS

1. Réunissez chaque signe et sa fonction. *(Voir en annexes, les signes orthographiques, page 125)*

1. le point **.** •	• *a.* Ils annoncent une explication ou une citation.
2. la virgule **,** •	• *b.* Ils encadrent une citation, des énoncés au style direct.
3. les deux points **:** •	• *c.* Elles mettent à part dans l'énoncé une remarque non essentielle.
4. le point virgule **;** •	• *d.* Ils indiquent que la phrase pourrait se continuer.
5. les parenthèses **( )** •	• *e.* Il marque la fin d'une phrase. Il est suivi d'une majuscule.
6. les guillemets **« ... »** •	• *f.* Il indique à la fin d'une phrase l'émotion : surprise, colère, par exemple.
7. le point d'interrogation **?** •	• *g.* Il marque une pause entre les propositions.
8. le point d'exclamation **!** •	• *h.* Elle marque une légère pause entre des groupes de sens. et permet de mettre en valeur des parties de la phrase.
9. les points de suspension **...** •	• *i.* Il indique une question.

2. Ajoutez la ponctuation et les majuscules à ce paragraphe.

le rugby à XV est un sport collectif il se pratique entre deux équipes de quinze joueurs chacune avec un ballon ovale durant deux mi-temps de quarante minutes ce sport a été inventé dans la première moitié du xixe siècle en angleterre il s'est ensuite répandu dans les colonies britanniques et dans d'autres pays d'europe le but du jeu est d'aplatir le ballon au-delà de la ligne de but de l'adversaire afin de marquer des essais on peut aussi profiter des fautes de l'adversaire pour tirer des pénalités l'équipe qui a marqué le plus de points remporte la victoire

3. Ajoutez la ponctuation et les majuscules à ce paragraphe.

jusqu'aux années 60 l'art était affaire d'initiés il n'y avait que quelques musées intimidants et solennels déserts et poussiéreux on y traînait parfois les enfants il y en a aujourd'hui en france 2200 les galeries à paris se comptaient sur les doigts de la main il y en a près de 5000 le collectionneur était une espèce rare souvent peu fortuné il se ruinait pour acheter les œuvres qu'il aimait et les gardait jalousement pour le plaisir de pouvoir les contempler en secret aujourd'hui ils sont innombrables moins ils ont d'œuvres plus ils les montrent ça fait chic et branché on fait ses courses dans les foires de l'art et on se presse aux expositions

3 COMPRÉHENSION DES TEXTES

Attention ! Faites ces exercices sans consulter de dictionnaire.

1. Le poids du mariage

Dès la première année de leur union, plus de 80% des marié(e)s se mettent à grossir, prenant près de deux kilos en moyenne. La balance peut afficher six kilos de plus au bout de quatre ans. Le sondage, mené sur 1000 britanniques par une société spécialisée dans les régimes alimentaires, et publié dans le « Journal International de médecine », montre que globalement, les couples mariés ressentiraient moins de pression face à la nécessité de garder la ligne. Les femmes auraient moins de gêne à grossir si leur prise de poids est partagée par leur époux.

1. Anticipez (= prédire, deviner à l'avance).

1. Lisez le titre, puis lisez le texte en entier.

2. À votre avis ce texte porte sur...

☐ *a.* les effets du mariage sur les mariés.

☐ *b.* une comparaison : une femme avant et après son mariage.

3. Combien de kilos prennent les mariés la première année ?

☐ *a.* Jusqu'à deux kilos. ☐ *b.* Jusqu'à six kilos.

4. Quelle est la raison de la prise de poids après le mariage ?

☐ *a.* Garder la ligne n'est plus une nécessité pour trouver un mari.

☐ *b.* Tous les gens ont tendance à grossir après leur mariage.

2. Faites des hypothèses.

1. Devinez quelle était la question principale du sondage.

☐ *a.* Avez-vous grossi dans l'année qui a suivi votre mariage ?

☐ *b.* Pensez-vous qu'il soit nécessaire de garder la ligne après le mariage ?

2. À qui s'adresse ce texte ?

☐ *a.* Aux couples mariés en particulier et au public en général.

☐ *b.* Aux médecins spécialistes du mariage.

3. Vérifiez.

1. Remettez dans l'ordre les idées présentées dans le texte.

☐ *1.* Si leurs maris grossissent, leurs femmes ont moins de problème pour prendre du poids.

☐ *2.* Ce sondage prouve que de nombreux mariés ne se préoccupent plus de leur ligne.

☐ *3.* La majorité des marié(e)s grossissent après leur mariage.

☐ *4.* Ils prennent jusqu'à six kilos.

☐ *5.* Un sondage a été réalisé et les résultats publiés.

2. Complétez le texte suivant et restituez la ponctuation. Ne regardez pas le texte original. N'oubliez pas de mettre des majuscules au début des phrases.

le .... du mariage

dès la première année de leur union plus de 80% des marié(e)s se mettent à .... prenant près de deux kilos en moyenne la .... peut afficher six kilos de plus au bout de quatre ans le .... mené sur 1000 britanniques par une société spécialisée dans les .... et publié dans le Journal International de .... montre que globalement les couples mariés ressentiraient moins de pression face à la nécessité de .... les femmes auraient moins de gêne à grossir si leur prise de poids est partagée par leur ....

//

2. Actualité politique

La déception dans la majorité, les zigzags politiques, la révolte fiscale, l'inquiétude grandissante : ce sont les conséquences de réformes a minima qui ne disent pas leur nom et des dirigeants incapables de les assumer et de trouver les mots justes pour expliquer ce qui doit être encore fait. C'est sans aucun doute rare que les électeurs votent pour un leader capable de leur dire que le plus dur reste à venir comme l'a fait David Cameron lors de la campagne électorale britannique de 2010. Cependant, même dans les premiers mois qui ont suivi sa propre élection, M. Hollande n'a jamais osé tenir un discours de vérité aux Français sur ce qu'il fallait faire afin de sortir la France de sa trajectoire de croissance faible et permettre la création d'emplois dans le secteur privé.

Extrait du magazine *Le Point* du 14 /11/2013

1. Lisez le texte en entier. Qu'est-ce que vous comprenez immédiatement ?

1. Qui sont les deux chefs de gouvernement européens mentionnés dans ce texte ?
....

2. Balayez le texte des yeux pour trouver des dérivés des mots suivants *(Voir en annexes, la formation des mots, p. 126)* :
a. grand : ....
b. diriger : ....
c. créer : ....
d. croître : ....
e. élire : ....

3. Que trouvez-vous dans ce texte ?

☐ *a.* une comparaison entre Cameron et Hollande.

☐ *b.* une critique de l'action du Président Cameron.

☐ *c.* une critique des deux chefs d'État.

4. Qu'est-ce qui oppose les deux chefs d'État ?

☐ *a.* La déception.   ☐ *b.* Le courage en politique.

5. Qu'est-ce qui caractérise le chef d'État français ?

☐ *a.* Il est incapable de faire de vraies réformes.　　☐ *b.* Il dit toujours la vérité aux Français.

2. Retrouvez l'ordre des idées exprimées dans le texte. Cochez la bonne séquence.

☐ b, a, c　　　☐ c, a, b　　　☐ a, b, c

a. David Cameron a été capable de dire à ses électeurs que le plus dur restait à venir.

b. Hollande n'a jamais pu le faire.

c. Les Français sont déçus par l'incompétence de leurs dirigeants.

3. Quelle est l'idée dominante de ce texte ?

☐ *a.* Il faut avoir le courage en politique de dire la vérité à ses compatriotes pendant la campagne électorale.

☐ *b.* Il faut faire beaucoup de promesses pour être élu. On n'est pas obligé de les tenir.

//

Tirez vos propres conclusions des résultats que vous avez obtenus à ce test en consultant les corrigés page 113. Si vous n'avez pas réussi au moins 75% des exercices, sur quoi devez-vous faire porter votre effort ?

OUTILS

La dérivation : ajout d'un suffixe au mot de base

Ex. : verbe (sans -*er* ou -*ire*) + suffixe → nom

créer + -ation → création

1. Complétez.

anticiper + -ation → ....　　　planter + -ation → ....

élire + -ection → ....

2. Citez cinq autres noms dérivés de verbes (*Voir en annexes, la formation des mots, p. 126*) :

....

✏ *Faites le point*

1. Dans quels cas doit-on utiliser une majuscule en français ? À quoi servent les majuscules ?

....

2. Quel est le genre grammatical des noms terminés par -*tion* en français ?

....

3. Que veut dire « balayer le texte » ?

....

4. Quel conseil a été suggéré pour aborder la lecture d'un texte ?

....

UNITÉ 2

LA SITUATION DE COMMUNICATION

> Chère Émilie,
>
> Je veux partager un grand secret avec toi...
> Il faut que l'on se voit vite
> bises, Charlotte.

Charlotte   Émilie

1. Commentez ces photos qui décrivent une situation de communication écrite.

a. Qui écrit ? ....

b. À qui ?/Pour qui ? ....

c. Sur quoi ?/À propos de quoi ? ....

d. Pourquoi ? ....

e. Comment ? ....

2. Quand vous utilisez cet ouvrage, vous êtes en situation de communication. Répondez aux questions suivantes :

a. Quel est l'auteur de cet ouvrage ? ....

b. Pour qui ? À qui est-il destiné ? ....

c. Il traite de quoi ? ....

d. Pour quelles raisons ? ....
....

e. Comment ? Sous quelle forme ? ....

3. Qui et à qui ?

①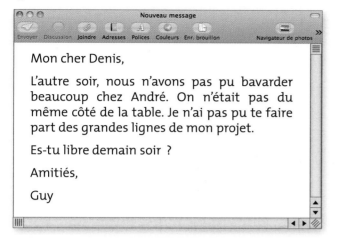

Mon cher Denis,

L'autre soir, nous n'avons pas pu bavarder beaucoup chez André. On n'était pas du même côté de la table. Je n'ai pas pu te faire part des grandes lignes de mon projet.

Es-tu libre demain soir ?

Amitiés,

Guy

② *Trains horaires*
vous facilite la vie

Il existe de nombreux trains circulant en France. Vous connaissez les trains de la SNCF (TGV, TER, Intercités), mais aussi le Thalys et l'Eurostar. Mais comment se procurer les horaires des trains Thello ? Ouigo ? ou des Chemins de fer de Provence ? Comment effectuer une correspondance avec ces trains ? Simple, rapide et efficace, *Trains horaires* calcule votre itinéraire en train quelle que soit votre gare de départ ou d'arrivée.

③
Tarte aux prunes

Préparation : 25 minutes
Cuisson : 30 à 40 minutes

- Préchauffez le four à 210°C.
- Beurrez un moule à tarte de 22 cm de diamètre environ ...

1. Identifiez l'auteur des textes.

a. un cuisinier.

b. Guy, l'ami de Denis.

c. un membre du service de relations publiques de la SNCF.

Texte ① : ....   Texte ② : ....   Texte ③ : ....

2. Á qui s'adressent les textes ?

a. Á une personne qui veut faire une tarte pour le dessert.

b. Á Denis, l'ami de Guy.

c. Aux gens qui prennent le train.

Texte ① : ....   Texte ② : ....   Texte ③ : ....

3. Est-ce possible ?

Guy aime faire la cuisine et envoie quelquefois des recettes à ses amis et il travaille au service des relations publiques de la SNCF. Dans ce cas, Guy pourrait-il être l'auteur unique des trois textes ?

☐ Oui   ☐ Non

Les cinq variables

Dans toute communication orale ou écrite, il faut qu'il y ait :

1. quelqu'un qui produit le message (l'auteur) → QUI ?
2. quelqu'un qui reçoit le message (le récepteur/destinataire) → À QUI ? ou POUR QUI ?
3. quelque chose à exprimer (le thème) → QUOI ?
4. une raison pour le faire (l'intention) → POURQUOI ?
5. la possibilité de choisir le mode adapté à la communication (le moyen) → COMMENT ?

Ces cinq variables définissent toute situation de communication orale et écrite.

Quelques indices pour identifier l'auteur et le destinataire d'un texte
– Style objectif (rien que les faits) ≠ Style subjectif (commentaires, émotions, arguments)
– Langage familier (pour un proche, un ami)/langage neutre (pour une administration)/langage soutenu (pour un responsable, les autorités)

OUTILS

///

4. Identifiez l'auteur et le destinataire des textes. Dites quels indices (ton, etc.) vous permettent de choisir la réponse.

① Pour la troisième fois, je me permets d'attirer votre attention sur le fait que l'ascenseur de notre immeuble ne fonctionne pas bien et qu'il est urgent de le faire réviser et, probablement, de remplacer le mécanisme. Hier encore, il s'est bloqué entre deux étages et trois visiteurs sont restés coincés pendant près d'une heure.

② Je vous serais reconnaissant d'envoyer un de vos techniciens faire une nouvelle révision, plus efficace que celle que vous avez réalisée le mois dernier, de l'ascenseur de mon immeuble du 27 rue de la Côte d'Or. Il s'est de nouveau bloqué entre deux étages et des visiteurs sont restés enfermés pendant une heure dans la cage de l'ascenseur jusqu'à temps que le technicien arrive.

③ Je suis furieux. Imagine qu'hier nous sommes allés rendre visite à mes parents. Il y a eu une panne d'ascenseur ! Ma femme, mon fils et moi sommes restés près d'une heure enfermés dans la cabine entre deux étages. C'est une expérience intolérable. Mes parents ont téléphoné au syndic pour se plaindre. L'ascenseur est ancien et il faut le faire réparer par une maison sérieuse.

1. L'auteur : qui ?

a. un habitant de l'immeuble représentant les locataires.

b. le syndic qui gère l'immeuble (et qui donne les ordres).

c. un employé de la compagnie des ascenseurs.

d. un visiteur de l'immeuble.

Texte ① : ………   Indice : ……………………………………………………………………………

Texte ② : ………   Indice : ……………………………………………………………………………

Texte ③ : ………   Indice : ……………………………………………………………………………

2. Le destinataire : à qui ?

a. la société responsable de l'entretien de l'ascenseur.

b. le syndic de l'immeuble.

c. un proche (parent ou ami).

Texte ① : ....   Indice : ....

Texte ② : ....   Indice : ....

Texte ③ : ....   Indice : ....

///

5. Comparez.

1. Lisez le début de deux définitions du mot « baleine ».

a. La baleine est le plus gros des mammifères marins. Certaines baleines font jusqu'à 30 mètres de long et pèsent jusqu'à 200 tonnes...

b. Nom féminin (latin *balaena*, du grec *phalaina*)

Nom commun aux grands mammifères marins du sous-ordre des mysticèles...

2. Vous écrivez pour des enfants. Laquelle allez-vous choisir ?

☐ a   ☐ b

3. Pour quelle raison choisissez-vous la définition « a » ?

☐ *a.* Le français est plus simple à comprendre pour les enfants.

☐ *b.* La deuxième définition donne des traductions en grec et en latin.

☐ *c.* Le contenu de la définition est de niveau trop élevé.

///

6. Caractérisez les trois situations de communication.

① Je voudrais que tu voies le pull-over que j'ai vu hier dans une vitrine. Il est fantastique ! J'en cherchais un comme ça depuis longtemps. C'est le pull de mes rêves. Dès que je l'ai vu en vitrine, j'ai su que j'allais m'en tricoter un semblable.

② Pour réaliser ce pull, j'ai acheté 5 pelotes de 50 grammes de laine verte angora, 7 pelotes de laine beige et 7 pelotes de laine marron. Il faut prendre également une paire d'aiguilles à tricoter n°4.

③ Prière de rapporter le pull-over de femme vert, beige et marron, à dessins géométriques, qui a été emporté par erreur mardi soir au Café du Théâtre. Prière de téléphoner à madame Travers au 01.71.12.36.84 le soir, après 19 heures.

1. Qui est l'auteur ?

a. Texte ① : une femme, amie de sa destinataire.

Texte ② : ....

Texte ③ : ....

b. La même personne pourrait-elle avoir écrit les trois textes ?

....

....

....

2. À qui s'adressent les messages ?

Texte ① : ....

Texte ② : une amie qui aime tricoter.

Texte ③ : ....

3. De quoi s'agit-il ? Reliez.

Texte ① •   • *a.* un mode d'emploi pour tricoter un pull.

Texte ② •   • *b.* un message affiché au Café du Théâtre.

Texte ③ •   • *c.* un e-mail annonçant un coup de cœur pour un pull-over en vitrine.

4. Pourquoi ? Choisissez entre : *informer, protester, exprimer des émotions, demander, expliquer.*

Texte ① : ....

Texte ② : ....

Texte ③ : ....

2 QUAND UNE VARIABLE CHANGE, TOUT CHANGE !

1. Un carrefour dangereux

① Pas de chance ! J'ai encore eu un problème au carrefour Dautry. C'est ma bête noire, surtout vers midi. Les voitures arrivent de tous les côtés. On ne voit qu'au dernier moment celles qui arrivent de la rue d'Alsace. C'est infernal ! J'en ai vraiment assez et j'ai bien l'intention de faire quelque chose cette fois…

② Il était onze heures cinquante-cinq. Je roulais à 40 kilomètres à l'heure en direction de la gare. J'ai pénétré sur le carrefour Dautry venant de l'avenue de Verdun. J'étais à peine engagé qu'une voiture débouchant de la rue d'Alsace m'a heurté du côté gauche…

③ C'est toujours avec une certaine inquiétude que j'emprunte l'avenue de Verdun. Une sorte de fatalité m'y poursuit. Hier matin, je devais assister à une réunion importante. Pressé par le temps, j'ai dû prendre ma voiture et, avec beaucoup d'appréhension, traverser le carrefour Dautry. Alors que je quittais l'avenue de Verdun pour m'engager sur la place, j'ai été heurté par une voiture venant de la rue d'Alsace. Étant donné l'angle entre les deux rues, il est pratiquement impossible de voir venir les véhicules qui débouchent de cette rue. Depuis quelques années les accidents se multiplient à cet endroit, fait que semblent ignorer les autorités municipales…

④ Je me permets d'attirer votre attention sur le danger constant que présente le carrefour Dautry. Alors que je quittais l'avenue de Verdun pour m'engager sur la place, j'ai été heurté par une voiture venant de la rue d'Alsace. Étant donné l'angle entre les deux rues, il est pratiquement impossible de voir venir les véhicules qui débouchent de cette rue. Depuis quelques années, les accidents se multiplient à cet endroit, fait que semblent ignorer les autorités municipales…

⑤ Il y a des années qu'ont lieu des accidents fréquents au carrefour Dautry. Votre journal a signalé ce problème à plusieurs reprises et s'est étonné que les autorités municipales n'aient pas encore pris la moindre initiative. Est-ce par manque de moyens, par inertie ou par incompétence ? Cette situation n'est plus tolérable…

1. Lisez les textes, attribuez à chacun le bon destinataire et dites quels indices (ton, etc.) vous permettent de choisir la réponse.

Texte ① •   • *a.* votre compagnie d'assurances

Texte ② •   • *b.* le maire de votre ville

Texte ③ •   • *c.* le rédacteur du journal

Texte ④ •   • *d.* un(e) ami(e)

Texte ⑤ •   • *e.* un agent de police

Indices :

Texte ① : ....

Texte ② : ....

Texte ③ : ....

Texte ④ : ....

Texte ⑤ : ....

2. Dans quelle intention ces textes ont-ils été écrits ? Choisissez entre : *informer, proposer des solutions, décrire un lieu, raconter un accident, exprimer la déception, le ras-le-bol, l'appréhension, l'inquiétude, faire des critiques, se plaindre.* Il peut y avoir plus d'une intention dans un même texte !

Texte ① : ....

Texte ② : ....

Texte ③ : ....

Texte ④ : ....

Texte ⑤ : ....

//

2. PRODUCTION. Vous avez été témoin de l'accident.

1. Relisez les cinq passages ci-dessus et lisez les conseils ci-dessous.

2. Racontez.

a. Écrivez un e-mail à un ami pour lui raconter l'accident (Ex. : *Hier, j'étais place Dautry...*).

b. Écrivez un article sur ce fait divers pour le journal local (Ex. : *Un carrefour dangereux...*).

Conseils

Donnez à vos lecteurs les informations suivantes dans l'ordre que vous choisirez :
- les faits : qu'est-ce qu'il s'est passé ? Qui ? (Quelles sont les personnes concernées ? Que font-elles ?) Où ? Quand ? Pourquoi ?
- vos réactions : vos émotions quand l'accident s'est produit (surprise, peur, colère, joie, indifférence).
- vos opinions, vos commentaires : incompétence des autorités, nécessité de prendre des mesures, etc.

OUTILS

//

3. PRODUCTION. Vive le Maire !

Imaginez que le Maire de la ville a fait faire les travaux. Le carrefour Dautry n'est plus dangereux. Vous avez assisté(e) à l'inauguration du carrefour rénové et vous écrivez pour le journal local un bref article pour informer vos lecteurs et féliciter le maire de son initiative.

Vous pouvez utiliser : *le conseil municipal – se réunir – prendre une décision – les riverains – obtenir une subvention – aménager – donner une amende – faire un constat – prévenir son assurance – être dans son droit ≠ son tort – rendre hommage à ...*

///

4. Choisissez bien votre agence pour les vacances !

① Le mois dernier, j'ai acheté dans votre agence un forfait vacances pour aller passer une semaine à Djerba. Je vous rappelle les termes de votre publicité : séjour de détente, chambre confortable dans un hôtel 3 étoiles, repas compris, proximité de la plage… C'est tout le contraire que j'ai trouvé…

② Il vient de m'arriver une drôle d'aventure ! Intéressé par une de ces nombreuses pubs qu'on reçoit par e-mail, j'ai décidé d'aller passer une semaine à Djerba. Le prix hors saison n'était pas très élevé et les conditions de séjour prévues très agréables…

③ Je voudrais attirer votre attention sur les faits suivants. L'agence X, 36 avenue de Verdun, m'a envoyé par e-mail une annonce offrant une semaine à Djerba à prix cassé. Dans mon cas, le résultat a été catastrophique. L'hôtel ne méritait pas une étoile, la chambre était très petite et son unique fenêtre donnait sur les murs de l'immeuble voisin, la nourriture n'était pas bonne, la plage se trouvait à plus de deux kilomètres…

④ À ma connaissance votre journal ne s'est pas intéressé à ce problème de publicité mensongère. Il serait utile, à mon sens, de mettre en garde vos lecteurs contre ce genre de pratique. Je serais prêt à témoigner de ma mésaventure et je suis certain qu'il y a de nombreuses personnes dans mon cas. Je reste à votre disposition si ma proposition peut vous intéresser et vous prie d'agréer, Monsieur, l'expression de mes salutations distinguées,

1. Lisez ces quatre extraits. Quel est l'auteur de chaque message ?

☐ *a.* Un vacancier déçu.   ☐ *b.* Un employé de l'agence de tourisme.

2. Quel est le destinataire de chaque message ?

a. Le rédacteur du journal local.   *b.* L'association des agences de voyages.

c. L'agence qui a vendu le forfait vacances.   *d.* Un(e) ami(e).

Extrait ① :.....   Extrait ② :.....   Extrait ③ :.....   Extrait ④ :.....

3. Quelle est l'intention exprimée dans chacun de ces messages : *informer, se plaindre, proposer de témoigner, faire une réclamation* **?**

Extrait ① : ....   Extrait ② :...

Extrait ③ : ....   Extrait ④ :...

1.

Un appareil photo photovoltaïque

Un appareil photo qui produit sa propre électricité ! L'idée est si géniale qu'il faut se demander pourquoi personne ne l'a eue avant Shree K. Nayar, professeur de science informatique à Columbia Engineering. Un beau jour, il a réalisé que les capteurs d'image placés dans les appareils photo et les cellules photo voltaïques fonctionnent exactement de la même façon. Les deux utilisent des photodiodes pour produire de l'électricité. Pas dans le même but, il est vrai. Euréka pour le professeur qui a donc imaginé d'utiliser le capteur photo dans le but à la fois d'enregistrer une image et d'alimenter la batterie. Pour la tester, Nayar a aussitôt construit un capteur de 30 X 40 pixels qu'il a placé dans un boîtier réalisé grâce à une imprimante 3D. Sans aucune source d'énergie extérieure, son

Crédit : DR

appareil a commencé à enregistrer des images et même à prendre une vidéo de lui. Non seulement les futures caméras n'auront plus besoin de batteries, mais elles pourront même servir à recharger nos téléphones portables.

Extrait du magazine Le Point du 30/04/2015

1. De quel objet est-il question dans cet article ?

....

2. Qui a eu l'idée de cet appareil qui peut fonctionner sans source d'énergie extérieure ?

....

3. Quels éléments de l'appareil fonctionnent de la même manière ?

....

4. Comment le professeur a-t-il testé son nouveau dispositif ?

....

5. Pourquoi les futures caméras n'auront-elles plus besoin d'alimenter leurs batteries ?

....

6. Quels sont les objectifs de l'auteur de l'article ?

☐ *a.* informer le public d'une invention récente et innovante.

☐ *b.* féliciter un chercheur pour sa découverte.

☐ *c.* présenter un appareil qui n'a pas besoin d'énergie extérieure.

2. Présentation de film

Un homme idéal

Mathieu, 25 ans, aspire depuis toujours à devenir un auteur reconnu. Un rêve qui lui semble inaccessible car, malgré tous ses efforts, il n'a jamais réussi à trouver d'éditeur pour publier ses textes. En attendant, il gagne sa vie en travaillant chez son oncle qui dirige une société de déménagement. Son destin bascule le jour où il tombe par hasard sur le manuscrit d'un vieil homme solitaire qui vient de décéder. Mathieu hésite avant de s'en emparer et de signer le texte de son nom. Devenu le nouvel espoir de la littérature française et, alors que l'attente autour de son second roman devient chaque jour plus pressante, Mathieu va plonger dans une spirale mensongère et criminelle pour préserver à tout prix son secret.

1. Qui écrit ?

☐ *a.* un/une journaliste de mode.　　☐ *b.* un/une critique de films.

2. Pour qui ?

☐ *a.* pour les lecteurs du magazine « Le Point ».　　☐ *b.* pour le réalisateur du film.

3. Pourquoi ?

☐ *a.* pour que les lecteurs aillent voir le film.　　☐ *b.* pour raconter le scénario du film.

☐ *c.* pour critiquer le film.

La cinquième variable, le « comment »

OUTILS

Il s'agit de repérer :
- le genre du document : e-mail – lettre – compte-rendu – rapport – article de journal – poème, etc.
- le ton général : relâché → correct → soigné.

Faites le point

1. Comment se définit une situation de communication ?

....

2. L'intention se définit le plus souvent par un verbe d'action à l'infinitif répondant à la question : « Qu'est-ce que l'auteur veut faire ? » Donnez au moins cinq exemples.

....

....

3. Que se passe-t-il quand une des variables change ? Par exemple, au lieu de féliciter le Maire dans un article sur l'inauguration, on le félicite par lettre. (variable n°5 : Comment ?)

UNITÉ 3

1. Présentation d'un chef trois étoiles

Fernand Point pratiquait une cuisine régionale, préférant la fraîcheur et le goût du produit aux présentations compliquées. Il rompait ainsi avec la tradition incarnée par Escoffier, l'un des plus grands cuisiniers du début du siècle. « Fernand Point, c'était la cuisine-vérité », dit Georges Prade, chroniqueur gastronomique. Une spontanéité dont la nouvelle cuisine s'est emparée.

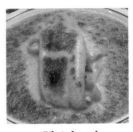

« Filet de sole aux nouilles»

1. Parcourez le paragraphe. Quelle est la phrase-clef ?

....

2. Quelles caractéristiques de Fernand Point souligne-t-elle ?

....

3. Repérez :

a. une opposition. Quels mots emploie l'auteur de l'article ?

....

b. une reformulation, ici une citation renforçant le sens de l'IC.

....

4. D'après le paragraphe ci-dessus, donnez une définition de la « cuisine régionale ».

....

2. Le Commissaire Maigret

Il [Maigret] aimerait s'asseoir à cette terrasse aussi. Il a trop peu dormi ces dernières nuits, il mange à la diable, il boit n'importe quoi, au vol, il lui semble qu'il est obligé, par ce sacré métier qu'il a choisi, de vivre la vie de tout le monde au lieu de vivre tranquillement la sienne. Heureusement que, dans quelques années, il prendra sa retraite et, un vaste chapeau de paille sur la tête, il entretiendra son jardin, un jardin bien ratissé comme celui du vieux Lapie, avec un cellier où, de temps en temps, il ira se rafraîchir.

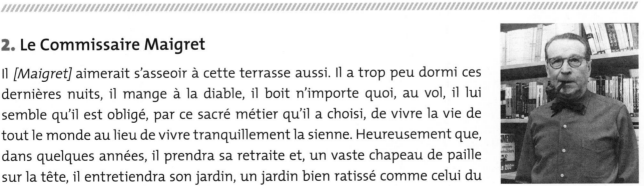

Georges Simenon

Georges Simenon, *Félicie est là*, Folio policier, Gallimard

1. Quel est le sujet grammatical unique de toutes les propositions de ce paragraphe ? ....

2. Ce paragraphe décrit :

☐ *a.* les pensées du commissaire Maigret.   ☐ *b.* les moments pénibles de sa vie.

3. Quelle est l'opposition principale faite dans ce paragraphe ?

☐ *a.* l'opposition entre sa vie actuelle et sa vie à la retraite.

☐ *b.* l'opposition entre le vrai Maigret et le Maigret qui est forcé de vivre la vie de tout le monde.

4. À quoi s'opposent les expressions suivantes ?

a. à la diable : ....

b. Il boit n'importe quoi : ....

c. vivre la vie de tout le monde : ....

d. ce sacré métier qu'il a choisi : ....

5. Trouvez :

a. une expression indiquant un contraste : ....

b. une expression indiquant une comparaison : ....

6. Simenon présente Maigret comme...

☐ *a.* un commissaire hors pair.   ☐ *b.* un homme simple et tranquille.

Le paragraphe forme un ensemble visuel de plusieurs lignes qui se détache du reste du texte par des blancs. Il est caractérisé par :

- Sa structure sémantique : tous les éléments d'un paragraphe se réfèrent à une **idée centrale** (IC), exprimée ou non. Ces éléments sont donc logiquement liés entre eux. Si l'idée centrale est exprimée, elle est appelée **phrase clef** (PC).
- La phrase clef est entourée de **satellites** qui décrivent les circonstances (temps, lieu, circonstances spéciales...), la reformulent pour la renforcer, l'illustrent d'anecdotes, la justifient avec des arguments, la comparent ou l'opposent à d'autres idées.
- Son **organisation** : temporelle, spatiale, par ordre d'importance, de préférence, etc. *(cf Unité 4).*
- Son **type** : narratif, descriptif, explicatif, prescriptif, argumentatif *(cf. Unité 5).*
- Ses **modes de développement** : généralisation, classement, analyse, définition, comparaison, illustration, cause et conséquence, argumentation *(cf. Unité 6).*
- Sa **cohésion** : tous les éléments du paragraphe sont articulés entre eux et ces articulations sont souvent soulignées par la ponctuation, par des mots de coordination ou de subordination, des pronoms de référence, les temps et les modes des verbes, des parallélismes de structures, des échos internes et des comparaisons.

Tous les éléments du paragraphe contribuent à l'explicitation et au renforcement de l'idée centrale (IC). Le thème unique est la structure la plus simple du paragraphe.

Emplois de l'imparfait

Passé composé ≠ Imparfait   Actions passées ≠ Circonstances

Ex. : Quand je suis sorti, il pleuvait.

• *1er emploi* : L'imparfait transpose au passé ce qui peut être exprimé au présent.

Ex. : Cinq personnes vivent dans cette maison. → ....
(Mettez la phrase à l'imparfait.)

• *2e emploi* : Il exprime une action passée habituelle.

Ex. : Je marchais beaucoup. Aujourd'hui, je ne marche plus.

OUTILS

1. Le marché de l'art (paragraphe composé de deux parties en opposition)

Évolution

Jusqu'aux années 60, l'art était affaire d'initiés. Il n'y avait que quelques musées, intimidants et solennels, déserts et poussiéreux. On y traînait parfois les enfants... Il y en a aujourd'hui, en France, 2200 ! Les galeries, à Paris, se comptaient sur les doigts de la main, il y en a près de 5000 ! Le collectionneur était une espèce rare, souvent peu fortuné, il se ruinait pour acheter les œuvres qu'il aimait et les gardait jalousement, pour le plaisir de pouvoir les contempler en secret. Aujourd'hui, ils sont innombrables. Moins ils ont d'œuvres, plus ils les montrent : ça fait chic et branché ! On fait ses courses dans les foires de l'art et on se presse aux expositions.

François Forestier, *Le Nouvel Observateur*, 14 novembre 2013

1. Dans ce paragraphe deux époques sont opposées. Quelles sont les expressions qui marquent cette opposition ?

....

....

....

2. Quels sont les deux temps employés ?

....

3. Que marque ici l'imparfait ? Trouvez un exemple dans le texte pour chacun des emplois.

a. Il marque l'état des choses dans le passé. Il s'oppose au présent.

....

b. Il marque l'habitude d'actions passées.

....

4. Par quels mots l'auteur exprime-t-il sa critique de la situation passée ?

....

....

5. Comment exprime-t-il les exagérations ridicules du présent ?

....

....

....

....

3

1. La biosphère

L'homme et la plupart des animaux ne peuvent vivre que dans la biosphère. La biosphère est cette mince couche de terre, d'eau et d'air qui entoure la terre et où la vie peut exister. Sur terre, la biosphère ne va que jusqu'aux racines des plantes les plus profondes. Dans la mer, la plupart des êtres vivants ne descendent pas en-dessous de 150 mètres, bien qu'on puisse considérer que la biosphère s'étend jusqu'aux profondeurs les plus grandes des océans. Certains oiseaux et certains insectes volent très haut dans le ciel, mais la plupart des animaux ne pourraient même pas vivre sur la plus haute montagne. Dans l'air, la limite supérieure de la biosphère se situe autour de 10000 mètres.

1. Quelle est la phrase-clef ?

....

2. Comment la phrase-clef est-elle développée ?

....

3. Êtes-vous d'accord avec ce schéma qui représente la structure du paragraphe ?

☐ Oui   ☐ Non

Phrase-clef

la biosphère ... (reformulation/définition)

| sur terre | dans la mer | dans le ciel | dans l'air |

bien que ...   mais ...

2. Le sport : l'évidence la plus méconnue

C'est l'évidence la plus méconnue, le sport fait marcher la tête. Ce sont surtout les sports d'endurance qui fournissent une bonne oxygénation. Les gens qui pratiquent le ski de fond, le vélo, la marche, la natation, sont souvent étonnés d'avoir des idées lumineuses pendant leurs moments de détente. Le mot qu'ils cherchaient, la solution d'un problème compliqué, ils les trouvent en rentrant chez eux. À l'inverse les sports de force, haltérophilie, culturisme, qui se pratiquent thorax bloqué, limitent l'oxygénation. À tel point qu'un champion de culturisme a la même aptitude à pomper l'oxygène dans le sang qu'une femme de soixante-quatre ans ayant fait deux infarctus.

1. Quelle est la phrase-clef ?

....

2. Quels sont les deux types de sport mentionnés dans ce paragraphe ?

....

3. Quelle expression permet de les opposer ?

....

4. Quels sports sont les plus utiles à l'organisme ?

....

5. Comment est développée l'IC ?

☐ *a.* par la division en deux types de sports illustrés par des exemples.

☐ *b.* par des énumérations qui comparent les sports qui oxygènent les poumons et ceux qui bloquent cet oxygène.

6. Êtes-vous d'accord avec ce schéma ?

☐ Oui   ☐ Non

Phrase-clef

Sports d'endurance   Sports de force

Exemple : anecdote   Exemple : comparaison

//

3. F1 : La guerre des carburants

La nouvelle saison de Formule 1 n'opposera pas seulement pilotes et constructeurs, mais aussi différentes équipes de chercheurs de grands groupes pétroliers. En pôle position, les spécialistes d'ELF, qui ont livré au Grand Prix d'Afrique du Sud 1700 litres de carburant spécialement mis au point pour une course effectuée à 1800 mètres d'altitude. Le précieux liquide est parvenu à Kyalami par bidons de cinquante litres. Avec les plus grands soins : il fallait absolument éviter les chocs entre les molécules susceptibles de réduire les performances de ces mélanges à 152 euros le litre.

1. Que choisissez-vous comme phrase-clef ?

☐ *a.* La nouvelle saison de Formule 1 opposera différentes équipes de chercheurs.

☐ *b.* Les saisons de Formule 1 changent souvent de règlement.

2. Cherchez les reformulations de « les 1700 litres de carburant ».

....

3. Quelle est la préoccupation principale des chercheurs d'ELF ?

....

4. Pourquoi l'essence pour la F1 coûte-elle si cher ?

....

5. Comment est développée la phrase-clef ?

☐ a. par le récit d'une expérience vécue.

☐ b. par le récit d'une livraison de carburant spécial en Afrique du sud.

6. Tracez un schéma de la structure du paragraphe.

//

4. PRODUCTION. L'alimentation bio

1. Une amie vous a conseillé d'acheter des produits bio. Dans votre e-mail de réponse vous écrivez un paragraphe dont l'idée centrale est : « Je te remercie de tes conseils mais je ne peux pas me permettre d'acheter des produits bio. »

2. Notez tout ce que le sujet vous suggère.

Ex. : Les produits bio sont meilleurs pour la santé. Les fraises produites artificiellement sont belles, rouges mais sans goût. Un poulet élevé à la ferme est différent d'un poulet élevé en batterie.

Mais, ça ne concerne que les gens aisés, la majorité des gens consomment des produits industriels. Je n'ai pas les moyens d'acheter ces produits, qui coûtent près de 30% plus cher que des produits comparables.

3. Écrivez votre e-mail de réponse.

📝 *Faites le point*

1. Citez ou dessinez trois structures de paragraphes différentes.

....

....

....

2. Quel paragraphe parmi ceux que vous avez analysés présente deux parties en opposition ? Une structure unique répétitive ? Une structure atypique ?

....

....

UNITÉ 4

L'ORGANISATION DU PARAGRAPHE

1. La matinée de Monsieur Vincent

a. À midi trente, il est allé prendre son repas au restaurant de son entreprise.

b. À huit heures et demie, il s'est assis devant son bureau.

c. Il a préparé ses papiers et a appelé sa fille à huit heures moins dix.

d. À huit heures, il a déposé sa fille devant l'école.

e. Il s'est levé à sept heures. Il s'est préparé entre sept heures et sept heures et demie.

f. À huit heures vingt, il est entré dans le garage de son entreprise.

g. Jusqu'à midi trente il a reçu des clients et a dicté des lettres à sa secrétaire.

h. Il a fini de prendre son petit-déjeuner à sept heures quarante-cinq.

1. Mettez dans l'ordre ce que Monsieur Vincent a fait hier.

....

....

2. Rédigez un paragraphe sur la matinée de Monsieur Vincent. Quel temps allez-vous employer si vous commencez par :

a. Comme d'habitude, ...

b. Hier, ...

c. La nuit se passa sans problème. Il se leva à sept heures, ...

....

....

....

OUTILS

L'ordre chronologique est surtout employé dans les récits, les textes historiques, les biographies, mais aussi dans les modes d'emploi, les notices de montage, les comptes-rendus et dans tous les textes où il est important de bien percevoir la succession des événements. Il est marqué par le temps des verbes, des articulateurs de temps (adverbes et conjonctions), la présentation d'opérations numérotées d'un mode d'emploi ou la simple logique du déroulement des événements ou des opérations.

Des mots pour s'exprimer

N'avoir plus de force, se sentir inutile

Avoir le moral au plus bas, s'ennuyer, avoir besoin de réconfort

Ne pas tenir en place, avoir de l'énergie, bouger

S'amuser, avoir un cercle de copains, voyager

2. PRODUCTION. Ma vie d'avant

Vous envoyez un e-mail à un(e) ami(e) pour regretter votre vie passée et vous plaindre de la monotonie de votre vie actuelle.

3. Le chemin de la gloire. Complétez le texte avec les adverbes de temps :

jusqu'à – plus tard – au cours de l'année – après – au début de – l'année suivante – la même année

L'ordre des oiseaux, 1962

Georges Braque est né le 13 mai 1882 à Argenteuil. Huit ans .... la famille Braque s'installe au Havre. .... le lycée, il entre en apprentissage chez le peintre-décorateur Rone. En 1902, à vingt ans, il s'établit à Paris et s'inscrit à l'académie Humbert. Il séjourne cinq mois à l'Estaque .... 1906 et expose sept toiles fauves au XXIIe Salon des Indépendants. C'est sa période fauve. À l'automne de 1907, il rend visite à Picasso et découvre *Les demoiselles d'Avignon*. Ensemble, ils inventent le cubisme. Son père meurt en 1911 et, ... il rencontre sa future femme, Marcelle Lapré. .... la guerre de 1914, il est mobilisé et envoyé au front. ...., il est grièvement blessé et décoré de la Croix de guerre. Il est démobilisé en 1917 et recommence à peindre. Son exposition de 1919 à la galerie de l'Effort moderne reçoit un accueil enthousiaste. Au Salon d'Automne de 1922, une salle entière lui est consacrée. Il est désormais célèbre et cette gloire durera .... sa mort en 1963.

4. PRODUCTION. Rédigez votre Curriculum Vitae (CV).

Écrivez-le en ordre chronologique inversé, c'est-à-dire commencez par votre statut actuel et remontez jusqu'à l'enfance.

5. Trouvez l'assassin.

ⓐ Le 5 janvier 2015, la neige se mit à tomber à huit heures du soir.

ⓑ La famille de la personne assassinée, Monsieur et madame Durand et leur nièce Carole, les attendait dans le salon.

ⓒ Sur le sol, près de la vieille femme, gisait sa boîte à bijoux vide.

ⓓ « J'étais dans ma chambre en train de lire jusqu'à dix heures », déclara Carole.

ⓔ À dix heures, le 5 janvier quelqu'un appela la police et dit : « Il y a eu un meurtre au coin de la rue de la Poste et la rue du Puits. »

ⓕ Les policiers arrivèrent à la maison dix minutes plus tard.

ⓖ La première chose qui attira leur attention fut que la porte arrière de la maison était restée ouverte.

ⓗ Ils ne trouvèrent aucune trace de pas quittant la maison.

ⓘ « J'ai découvert le corps quand je suis allée dans la chambre de ma tante pour lui montrer la nouvelle robe que j'ai achetée ce soir. »

ⓙ Madame Durand dit : « Ma tante a été tuée. Elle est dans sa chambre. Le couteau est sur le lit à côté d'elle. »

ⓚ La première chose qui attira leur attention fut que la porte arrière de la maison était restée ouverte.

ⓛ « Nous sommes bouleversés, continua Madame Durand en sanglotant, nous sommes les seuls parents qu'avait ma tante. »

ⓜ Dans la chambre, le commissaire de police trouva le corps d'une vieille femme. Elle avait été poignardée dans le dos.

ⓝ « Je suis resté à la maison toute la soirée. J'ai regardé la télé », dit M. Durand.

ⓞ « J'ai fait des courses et quand je suis rentrée il était presque dix heures. »

ⓟ Le commissaire demanda : « Qui était dans la maison ce soir ? »

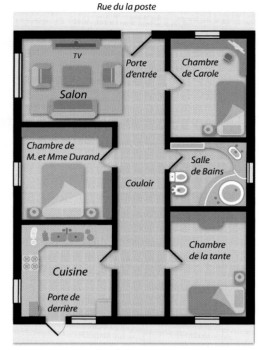

Rue du la poste

Rue du Puits

1. Mettez dans un ordre logique les faits ci-dessus.

....

....

2. Quels sont les indices importants ? Pourquoi ?

....

....

3. Quelles nouvelles questions le commissaire pourrait-il poser...

a. à M. Durand pour innocenter Carole ?

....

b. à Mme Durand au sujet de la robe qu'elle aurait achetée le soir du crime ?

....

4. La police arrête Mme Durand. Pourquoi ?

....

5. PRODUCTION. Racontez votre version des faits.

Des mots pour s'exprimer

Un meurtre – le meurtrier – des empreintes digitales – une tache de sang – héritier – héritage

Quelques expressions de temps

En 2015 – le 15 avril - au début, au milieu, à la fin du mois – avant/ après – depuis / jusqu'à – du 5 au 8 juin – pendant, durant, au cours de – l'année précédente, la même année, l'année suivante – au printemps, en été, à l'automne, en hiver

OUTILS

L'ORGANISATION SPATIALE

1. Décrire un visage

1. Décrivez le visage de Mae West, célèbre actrice américaine des années 20, représenté par Salvador Dali, dans son œuvre *Visage de Mae West pouvant être utilisé comme appartement surréaliste*. Dali utilise les traits de l'actrice pour en faire des éléments de mobilier.

....

....

....

....

....

....

....

2. Quel ordre a choisi Dali pour décrire le visage de l'actrice ?

☐ *a.* de bas en haut   ☐ *b.* de droite à gauche   ☐ *c.* de haut en bas

OUTILS

L'organisation spatiale

Pour aider le lecteur à se représenter une scène, un tableau, un intérieur de maison, un visage, il faut respecter quelques consignes simples, comme, par exemple, préférer le balayage de gauche à droite (plutôt que l'inverse) pour une pièce ou un paysage, du devant vers l'arrière pour une voiture, du haut vers le bas pour un personnage, etc. On doit en effet essayer de suivre le mouvement naturel des yeux sans sautes brusques injustifiées qui empêcheraient le lecteur de reconstruire visuellement l'objet ou la scène.

2. Comment placer les meubles ?

Il y a une fenêtre ouverte sur la campagne, au milieu du mur de gauche, quand on entre dans la chambre. J'ai envie de placer le lit en face de la fenêtre, centré sur le mur de droite. De chaque côté du lit, on mettra nos tables de nuit. La penderie sera posée contre le mur à droite de l'entrée. L'écran de télé sera accroché sur le mur de gauche en face du lit, à côté de la fenêtre. On placera un fauteuil dans le coin gauche, près de la télé et un autre dans le coin opposé. Il nous restera de la place pour nos deux tableaux sur le mur à la droite du lit. Il faudra acheter une lampe qu'on mettra près du lit et un tapis qui occupera le centre de la chambre. Que penses-tu de cet arrangement ?

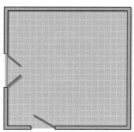

1. Votre compagne /compagnon a été nommé(e) dans un pays étranger. Il/Elle part seul(e) trouver un appartement pour votre famille. Par e-mail, il/elle vous fait des propositions sur le placement de vos meubles. Placez les meubles dans le dessin suivant sa description.

2. Vous entrez dans la chambre qui vient d'être meublée. Vous la décrivez à un ami au téléphone. Pour qu'il l'imagine, vous commencez par la fenêtre et vous faites le tour de la pièce dans le sens des aiguilles d'une montre.

....

....

....

....

3. PRODUCTION. Vous n'aimez pas que le lit cache une grande partie du tapis et vous pensez qu'une seule lampe ne donnera pas assez de lumière... Vous faites une autre proposition de placement des meubles (par exemple : déplacer la penderie, mettre le lit dans un coin de la pièce, acheter une autre lampe, un petit bureau avec une chaise, etc.). Écrivez l'e-mail que vous envoyez à votre compagne/compagnon.

///

3. Quel sens choisiriez-vous ?

1. Choisissez entre : *de gauche à droite, de haut en bas, du bas vers le haut, de l'avant à l'arrière.*

1. pour décrire une vitrine de vêtements : ....

2. pour décrire un clown : ....

3. pour décrire une voiture : ....

4. pour décrire une photo de footballeurs : ....

5. pour décrire la Tour Eiffel : ....

2. PRODUCTION. Décrivez au choix une des deux images.

//

4. Vous donnez par écrit le signalement de l'individu qui a commis le vol dont vous avez été témoin.

1. Choisissez l'une des deux photos. Dans quel sens allez-vous décrire le suspect ?

☐ *a.* Du bas vers le haut.　　☐ *b.* Du haut vers le bas.

2. Décrivez-le.

....

....

....

....

3   L'ORDRE D'IMPORTANCE

1. Les places boursières européennes avant l'arrivée de la Chine

Londres est, de loin, la principale place européenne (bourse de valeurs, de matières premières, marchés à terme, sièges de grandes banques, etc.), mais la capitalisation des bourses du Royaume-Uni reste de beaucoup inférieure à celle de New York ou de Tokyo. Les chiffres ont baissé à partir d'août 1992, à cause de la forte chute des bourses mondiales qui a suivi le troisième choc pétrolier provoqué par l'invasion du Koweit par l'Irak. Paris, Francfort ou Milan jouent un moindre rôle international dans le domaine financier et sont dépendantes de l'humeur qui prévaut aux États-Unis et au Japon. La croissance de l'économie espagnole a permis à des villes comme Madrid ou même Barcelone de figurer parmi les capitales financières européennes. C'est le cas aussi de Palerme, en Italie.

1. Relevez les termes techniques concernant la finance internationale.

....

....

2. Quelle était la hiérarchie des places européennes quand l'article est paru ?

....

....

3. Dans cet article, quel est l'ordre utilisé ? ....

2. PRODUCTION. Ordonnez des arguments dans une lettre de motivation.

Vous aidez une amie à répondre à une offre d'emploi de réceptionniste. Choisissez les arguments les plus intéressants et inventez d'autres arguments. Organisez-les de manière à créer une impression favorable en les ordonnant du plus important au moins important.

Votre amie a 35 ans, est toujours à l'heure, a un bon contact avec les gens, une voix agréable au téléphone, est végétarienne et travailleuse. Elle a de bonnes recommandations, a une licence de psychologie, connaît l'anglais et l'espagnol et fait du cheval.

OUTILS

L'ordre d'importance peut être utilisé dans les descriptions (on présente d'abord ce qui frappe le plus), dans les récits (on commence par l'événement le plus important et on organise les autres autour du fait central), dans les exposés (le phénomène clef, mis en valeur au début, focalise l'attention), mais c'est surtout dans les démarches argumentatives que l'ordre d'importance peut jouer un rôle déterminant. Il peut être croissant (du moins au plus important) ou décroissant (du plus au moins important).

1. Présentez et commentez le sondage suivant. Vous pouvez utiliser le comparatif et le superlatif.

Sondage réalisé par Madame Figaro/ SOFRES auprès de jeunes de 13 à 17 ans : Qu'est-ce que les jeunes préfèrent ?

Jouer à un jeu vidéo	49%	Regarder la télévision	27%
Se réunir avec des copains	48%	Voir leur petit(e) ami(e)	25%
Écouter de la musique	45%	Faire les boutiques	15%
Pratiquer un sport	43%	Lire des bandes dessinées	12%
Aller au cinéma	41%		

....

....

....

....

OUTILS

L'ordre de préférence est une variante de l'ordre d'importance. Il est souvent lié à des modalités appréciatives. On le trouve dans des écrits comparant les goûts des gens, des publicités, des commentaires de sondages, etc.

Le superlatif

Ex. : C'est le/la plus court(e). /C'est le/la moins long(ue). /C'est le/la meilleur(e).

2. PRODUCTION. Vous écrivez pour la première fois à votre correspondant étranger.
Vous vous présentez et vous exposez vos goûts et habitudes dans l'ordre de vos préférences.

Faites le point

1. Pourquoi faut-il ordonner ses descriptions ?

....

2. L'ordre d'importance peut-il servir à d'autres intentions qu'à organiser des arguments du plus fort au plus faible ?

....

3. À quoi sert l'ordre chronologique ?

....

UNITÉ 5

CINQ TYPES DE TEXTES

1. Lisez ces deux brèves de journal et répondez aux questions.

① **Football** : Sochaux, lanterne rouge du championnat, jouera son va-tout en recevant ce soir, en match avancé de la 34ème journée, les leaders parisiens qui ne peuvent se permettre le moindre faux-pas ; ils n'ont que deux points d'avance sur Monaco. Toujours qualifiés en Coupe de France et vainqueurs de leurs deux derniers matches, les Sochaliens semblent gonflés à bloc et conservent toujours l'espoir de se maintenir parmi l'élite.

② **Inde** : Deux Antonov AN-32 de l'armée de l'air indienne sont entrés en collision en plein vol au-dessus du Pendjab dans la nuit de mercredi à jeudi, tuant huit membres d'équipage. Une « erreur technique » serait à l'origine de l'accident.

a. Texte ①

Qui écrit ? ....

À qui ? ....

Quoi ? ....

Pourquoi ? ....

Comment ? ....

b. Texte ②

Qui écrit ? ....

À qui ? ....

Quoi ? ....

Pourquoi ? ....

Comment ? ....

OUTILS

Le type du texte est déterminé par la fonction dominante que lui donne l'auteur. Nous nous limiterons aux cinq fonctions principales : le narratif, le descriptif, l'explicatif, l'argumentatif et le prescriptif. Plusieurs types de textes peuvent coexister dans un seul document écrit.

Narratif	Récits, faits-divers, romans, reportages	Présent, passé simple, passé composé, imparfait
Descriptif	Mode d'emploi, guide touristique, catalogue, itinéraire, organigramme	Présent, imparfait, indications de lieu
Explicatif	Vulgarisation scientifique, manuels scolaires	Présent, lexique technique
Argumentatif	Débats, éditorial, plaidoiries, publicités, règlements	Présentation d'arguments et d'exemples, connecteurs logiques, lexique technique
Prescriptif	Recettes, modes d'emploi, lois, règlements, notices	Infinitif ou impératif, ordres, conseils, consignes

2. Le triste destin d'un chien abandonné

Trouvé errant il y a plus d'un an, Afro aboyait de désespoir dans la nuit. Comme beaucoup d'autres, il a été abandonné par ses propriétaires après de longues années de vie partagée : « il coûte trop cher », « trop grand », « trop vieux », « handicapé »... Toutes les excuses sont bonnes pour les maîtres irresponsables qui abandonnent leurs fidèles compagnons à leur triste sort. Immédiatement pris en charge et soigné par nos équipes, Afro s'est révélé joueur et câlin. Derrière son physique impressionnant de gros loup noir se cache en fait un chien calme et d'une grande gentillesse. Depuis son box, il observe chaque visiteur qui passe. Mais les mois se suivent et personne n'envisage de l'adopter. Savez-vous qu'au refuge de Gennevilliers, les chiens de couleur noire comme Afro passent en moyenne deux fois plus de temps en refuge que les chiens d'une couleur plus claire ? Après avoir vécu la douleur de l'abandon, Afro est aujourd'hui victime d'une autre peine, celle de l'indifférence.

1. Survolez le texte et dites de quoi il s'agit :

☐ *a.* du sort de tous les chiens.　　☐ *b.* du sort des chiens adoptés.

☐ *c.* de la triste histoire d'Afro et des chiens comme lui.

2. Étudiez le vocabulaire. Relevez les mots avec :

a. une connotation négative : ....

b. une connotation positive : ....

c. une connotation neutre : ....

3. Quels sont les mots les plus nombreux ? Qu'en concluez-vous ? ....

....

4. Quels expressions de temps structurent le récit ? ....

....

3. Les temps du passé

À cinq ans, il manifesta un précoce instinct de protection en criant dans le métro, d'une voix suraiguë : « Laissez passer ma maman. » À huit ans, il « faisait ses courses » et son dîner tout seul quand il estimait que je rentrais trop tard le soir. Il me dépassait déjà complètement. À neuf ans, nous eûmes quelques conflits. Il refusa d'aller à l'école, de se laver et de manger du poisson. Un jour, je le plongeai tout habillé dans une baignoire, un autre jour Jacques le porta sur son dos à l'école : il hurla tout le long du chemin. Ces essais éducatifs n'eurent aucun succès. Du reste, il se corrigea tout seul. Nous décidâmes de ne plus intervenir.

Extrait de *La maison de papier* de Christiane de Rochefort

1. Considérez les deux expressions de temps : « un jour » et « à huit ans ». Laquelle exprime la durée ? Laquelle se réfère à un moment unique ?

....

2. Relevez les temps du passé et expliquez leur valeur dans ce texte.

....

....

Valeurs des temps du passé

Imparfait :
- actions habituelles dans le passé
- états d'esprit (je voulais + infinitif, je pensais que..., je savais que..., j'étais surpris par...)
- actions montrées dans leur déroulement, en train de se produire, comme si on y était

Passé simple : (*voir en annexes, le passé simple, page 127*)
- actions ou états révolus
- faits historiques dans un roman

Attention, ne pas confondre :
- Les variables de **la situation de communication** : Qui écrit ? – À qui ? (destinataire) – Sur quoi ? (thème) – Pourquoi ? (Dans quelle intention ?) – Comment ? (genre)
- La liste des informations que doit comporter **un récit** : Qui sont les personnages ? – Qu'est-ce qu'il se passe ? – Où les faits se déroulent-ils ? – Quand se produisent-ils ? – Pourquoi ces faits arrivent-ils ?

---

4. Analysez cette brève de deux points de vue différents.

Journées du Beaujolais

À l'occasion de la sortie du Beaujolais nouveau, une action est menée par les commerçants du centre ville et zoning de Comines. Ceux-ci offrent à leurs clients une dégustation gratuite ces vendredi 20 novembre (de 9h30 à 12h et de 14h à 19h) et samedi 21 (mêmes heures).

Extrait du journal belge L'avenir *du 20 novembre 2015*

1. Situation de communication

....

....

....

2. Éléments du récit

....

....

....

---

5. Seriez-vous un bon journaliste ?

Lundi, 1h30 : Secousse sismique de forte intensité signalée à 8h25, heure locale ; dans la région de Mexquito par le Centre d'études sismiques de Houston. Importants dégâts probables.

Lundi, 3h15 : Tremblement de terre à Mexquito, puissance 7 sur l'échelle de Richter. Première secousse, la plus forte, a duré 25 secondes. Centre-ville gravement touché. Électricité coupée, conduites d'eau détruites, communications téléphoniques interrompues. Nombre de victimes apparemment très élevé.

Lundi, 5h40 : Selon des sources sûres, le Palais Présidentiel serait très endommagé. Nouvelles concernant Président Escobar contradictoires.

Lundi, 7h20 : Président Escobar sain et sauf. Se trouvait dans résidence de Terrabal à 50 kilomètres de la capitale. A lancé message par radio à la population.

Lundi, 7h50 : Bilan catastrophique à Mexquito. Très lourd. Plus de 1000 morts et des centaines de blessés. Des milliers de sans abris. Dégâts matériels s'élevant à des centaines de millions de dollars. L'armée, la police et des centaines de volontaires fouillent les ruines. Plusieurs pays étrangers offrent de l'aide humanitaire. Équipes et secours seront envoyés dans la journée. Aéroport situé au nord de la ville encore ouvert.

1. Vous recevez plusieurs dépêches transmises dans la nuit au sujet d'un tremblement de terre qui vient de ravager la capitale d'un pays où les secousses sont fréquentes. Les informations parvenues à la rédaction sont-elles présentées comme absolument sûres ? Qu'est-ce qui le montre ?

....

....

2. Classez les informations selon le thème. Que savez-vous...

a. de l'aspect technique du séisme ?

....

b. de l'état de la ville ?

....

c. du sort du président ?

....

d. de l'importance des dégâts ?

....

e. de l'organisation des secours ?

....

f. de la réaction des autres pays ?

....

3. Recherchez des informations.

a. Que vous manque-t-il comme informations pour rédiger votre article ?

....

b. Où irez-vous chercher les informations qui vous manquent ?

....

4. PRODUCTION. Imaginez.

a. un titre et un sous-titre résumant l'information principale.

b. Écrivez l'article. Si les informations ne sont pas toutes certaines, prenez vos précautions pour ne pas engager la responsabilité de votre journal. N'affirmez rien de manière catégorique.

c. Faites lire votre article à un(e) autre étudiant(e). Discutez des améliorations possibles et corrigez votre texte.

///

6. PRODUCTION. Racontez une histoire de votre choix.

1. Choisissez un thème (anecdote personnelle, fait-divers de journal, fait historique...).

2. Vérifiez que vous répondez bien aux cinq questions essentielles : quels sont les **personnages** qui agissent dans l'histoire que vous racontez, quels **événements** se sont produits, **quand** ils ont eu lieu, **où** les faits se sont déroulés et **pourquoi** tout cela est arrivé.

1. Une personnalité suisse

Pour la première fois dans l'histoire de la Suisse contemporaine, une femme accède à la présidence de la Confédération Helvétique, Ruth Dreifuss, née en 1940, socialiste, ancienne syndicaliste et partisane de l'Europe, succède ainsi aux 150 hommes qui ont présidé le pays depuis 1848, date de naissance de l'État suisse. Elle prendra ses fonctions le 1er janvier 1999, tout en conservant son poste de Ministre de l'Intérieur chargé des Affaires sociales. « Aujourd'hui, nous franchissons tout simplement une nouvelle étape d'une lutte longue de plusieurs années pour l'égalité des sexes », déclarait cette militante féministe le jour de son élection.

1. Quels sont les traits de personnalité de madame Dreifuss choisis par le journaliste pour la présenter ?

....

....

2. Quel est l'objectif poursuivi ? Choisissez un ou plusieurs objectifs :

☐ *a.* informer les lecteurs du journal de sa nomination à la présidence du pays.

☐ *b.* faire connaître ses antécédents professionnels.

☐ *c.* justifier sa nomination.

3. Cette description est :

☐ *a.* directe : l'auteur impose son analyse psychologique de cette dame.

☐ *b.* indirecte : l'auteur présente des faits. Au lecteur de tirer ses conclusions.

OUTILS

Le type descriptif

On trouve des descriptions dans les journaux, les guides touristiques, les catalogues d'objets, les modes d'emploi... La description est rarement seulement « objective ». Le choix, l'ordre et la façon de décrire les éléments prennent une grande importance car ils ne stimulent pas seulement la vision du lecteur, mais ils agissent sur son imagination et ses impressions.

Conseils

Avant de décrire, délimitez votre objet, décidez du mode d'organisation de votre description, faites l'inventaire des éléments que vous voulez présenter, décidez de l'impression que vous voulez communiquer. Puis, faites l'inventaire des moyens linguistiques dont vous disposez (mots, temps des verbes, adverbes de lieux) et du vocabulaire à employer que vous rechercherez grâce à des listes et à des réseaux *(cf Unité 9).*

2. Bill Blasio, le maire de New York

Comme un géant

Du haut de son mètre 93, il est le plus grand maire de l'histoire de la ville de New York. Selon les observateurs politiques sur place, sa stature politique lui donne un air courbé quand il s'adresse à ses interlocuteurs. Comme s'il se mettait à leur portée, ce qui est bien venu quand on a axé sa campagne sur la réduction des inégalités. Dans les idées mais aussi dans le style sobre – costumes classiques de cadre moyen – l'Italo-américain de 52 ans tranche avec son prédécesseur, le milliardaire Michael Bloomberg. Seul détail notable : un goût prononcé pour les cravates de couleur.

Céline Cabourg, *Le Nouvel Observateur*, 14 novembre 2013

1. Repérez l'idée centrale.

....

2. Pour ne pas répéter « le Maire de New York » comment le reformule-t-on ?

....

3. Sur quoi a-t-il axé sa campagne ?

....

4. En quoi s'oppose-t-il à son prédécesseur ?

....

5. Comment la journaliste critique-t-elle le nouveau maire ?

....

....

6. Vers qui vont les sympathies du journaliste ? (Sa critique est indirecte et discrète.)

....

7. Êtes-vous d'accord avec ce schéma représentant la structure du paragraphe ?

☐ Oui   ☐ Non

Du haut de son mètre 93, il est le plus grand maire...

ses idées politiques

son attitude envers les gens

son style vestimentaire

ses origines   tranchent   avec ceux de son adversaire le milliardaire
                                                                                   Michael Bloomberg

Remarque critique contre Bill Blasio

3. Description un objet

À VENDRE
Cause double emploi
FOUR MICRO-ONDES BLANC
459 x 594 x 417 mm
900 watts
État neuf - Prix : 150 euros
Téléphonez au 06 83 24 10 49 à partir de 10 heures

1. Quelle sont les dimensions, la puissance et la couleur du micro-ondes ?

....

2. Pourquoi est-il mis en vente ?

....

3. Quels sont les éléments qui peuvent intéresser un acheteur ?

....

4. Qu'est-ce que vous voudriez savoir si vous achetiez une voiture d'occasion ?

....

4. Villa de maître

Décor minimal, lignes géométriques pures, les plus célèbres bâtiments des années 30 sont à la fête dans l'Hexagone[1]. Cet été, près de Roubaix, le Centre des monuments nationaux ouvrira au public les portes de la Villa Cavrois (1932), chef d'œuvre de l'architecture moderniste signé Robert Mallet Stevens[2], acquise par l'État en 2001. Avec ses grandes baies au midi, ses larges terrasses et sa piscine extérieure, ce château contemporain de 60 mètres de longueur s'est refait une beauté à grand frais : 22 millions d'euros de travaux pour restaurer le parc et les intérieurs de cette vaste demeure articulée autour d'un demi-cylindre vertical et sérieusement dégradée durant des années d'abandon. Les architectes Michel Goutal et Béatrice Grandsard et la paysagiste Aline Le Cœur ont mené conjointement cette splendide sauvegarde.

1. L'Hexagone : la carte de la France a trois côtés marins et trois côtés terrestres et peut s'inscrire dans une figure géométrique à six côtés, un hexagone.
2. Robert Mallet-Stevens : un des grands noms du style Art-Déco.

1. Quelle est l'occasion de cette description ?

....

2. Quelles indications dans la description de la villa caractérisent l'architecture moderniste ?

....

....

3. Relevez les mots de connotation négative.

....

4. Pouvez-vous deviner le sens de « baies » d'après le contexte ?

....

//

5. PRODUCTION. Décrivez ce tableau du Douanier Rousseau.

Vous venez de voir *La Charmeuse de serpents* (1907) du Douanier Rousseau dans une exposition. Le tableau vous a fait grande impression. Vous envoyez un e-mail à un(e) ami(e) pour le décrire et expliquer l'impression qu'il a fait sur vous.

1. Le carré magique

1	17	16	6
14	8	7	11
10	12	13	5
15	3	4	18

1. Le carré ci-dessus est appelé « le carré magique ». Expliquez les raisons de ce nom. Qu'y a-t-il de magique dans ce carré ?

....

2. Quel est le total des chiffres verticalement, horizontalement et en diagonale ? ....

3. Vous avez découvert ce « carré magique ». Vous l'envoyez à un(e) ami(e) et vous lui expliquez ce qu'il a de magique.

....

....

2. Atout Santé

Le pain complet a la particularité de contenir une teneur élevée en fibres (5,6 g pour 100 g). La consommation d'aliments riches en fibres est essentielle, car ces dernières, non digérées, permettent d'accélérer le transit intestinal. De très nombreuses études ont également montré, depuis longtemps déjà, que les fibres contenues dans notre alimentation réduisaient faiblement mais de façon indiscutable le risque de cancer du côlon. Le pain complet contient également de précieux oligoéléments, tel que le cuivre, le zinc ou encore le sélénium aux propriétés antioxydantes reconnues.

1. Trouvez l'idée centrale et faites le schéma du paragraphe.

2. Parmi les satellites de l'IC, lequel est le plus important ?

....

3. L'organisation des raisons pour lesquelles il est conseillé de consommer du pain complet va-t-elle :

☐ *a.* de la plus importante à la moins importante ?

☐ *b.* de la moins importante à la plus importante ?

3. PRODUCTION. Comment le prix des produits manufacturés augmente ?

Décrivez dans un texte une réaction en chaîne de nature socio-économique. Tenez-vous-en à l'ordre séquentiel. Utilisez des généralisations. Marquez les relations de cause à effet.

1 *Augmentation du prix des matières premières*
2 *Augmentation du prix des biens de consommation*
3 *Grèves*
4 *Augmentation des salaires*
5 *Augmentation des prix de production*
6 *Augmentation du prix des produits manufacturés*

4. Savez-vous remplacer une roue de voiture ?

1 Arrêtez la voiture sur un endroit plat et ferme.
2 Calez la roue opposée à la roue crevée avec une grosse pierre.
3 Faites réparer le pneu crevé dans un garage.
4 Enlevez les écrous de fixation de la roue et rangez-les pour ne pas les perdre.
5 Enlevez la roue crevée.
6 Mettez en place la roue de secours.
7 Sortez la roue de secours.
8 Au prochain garage faites vérifier la pression des pneus et le serrage des écrous.
9 Descendez la voiture et enlevez le cric.
10 Sortez le cric et la manivelle du coffre.
11 Placez le cric sous le montant du châssis et levez la voiture jusqu'à ce que la voiture ne touche plus le sol.
12 Débloquez les écrous de la roue à remplacer avec la manivelle.
13 Bloquez les écrous.
14 Serrez le frein à main et mettez en première.
15 Placez un signal de détresse sur la route si nécessaire.
16 Détachez l'enjoliveur de la roue crevée et mettez-le en place sur la roue montée.
17 Serrez les écrous avec la manivelle sans les bloquer.

1. Mettez les consignes en ordre.

....

2. Peut-on supprimer des consignes ? Est-ce qu'elles sont toutes utiles ?

....

3. Peut-on réunir des consignes ? Le résultat est-il plus clair ou plus complexe ?

....

4. Est-ce qu'il doit y avoir autant de consignes qu'il y a d'opérations à effectuer ?

☐ Oui   ☐ Non

5. Quelles sont les qualités d'un bon mode d'emploi ou d'une bonne notice d'utilisation ?

....

5. PRODUCTION. Rédigez une notice claire pour changer un pneu de vélo.

Expliquez à un ami comment changer un pneu de vélo. Soyez clair et précis.

la roue

un pneu

une chambre à air

une rustine

un démonte-pneu

4   LE TYPE ARGUMENTATIF

1. À chacun sa vérité

Voyez comment ce jeune homme tient compte de la psychologie de ses destinataires pour obtenir satisfaction.

ⓐ On a vraiment besoin d'une voiture dans cet endroit. Tu me vois aller chercher une fille chez elle en bicyclette ? Et la concurrence est dure ici : peu de filles et beaucoup de mecs. D'autant plus qu'on s'ennuie à mourir et qu'il faut absolument s'évader chaque fois que c'est possible...

ⓑ Les conditions de vie ne sont pas des plus faciles ici. Ma chambre est à plusieurs kilomètres de l'université et les moyens de transport sont rares. Il faut changer deux fois de bus ! J'ai bien pensé à louer une bicyclette, mais il pleut souvent et l'hiver s'annonce rude. Le temps que je passe en transports pourrait être consacré plus utilement à préparer mes examens. Vous savez que j'ai un peu d'argent à la banque et pour cause, vous y avez abondamment contribué. Si vous pouviez compléter un peu mes économies, je pourrais sans doute trouver une bonne voiture d'occasion. Si j'en prenais soin, je pourrais même la revendre dans trois ans et vous rembourser, au moins en partie. Qu'en pensez-vous ?

1. Lisez les extraits des deux lettres écrites par le même étudiant. À qui s'adressent ces messages ?

a. Le premier : ....   *b.* Le deuxième : ....

2. Les deux messages ont le même thème : le désir et le besoin d'avoir une voiture. En quoi l'auteur de ces lettres adapte-t-il ses arguments à ses destinataires ?

....

....

3. Comment imaginez-vous ses parents ?

....

....

4. Quel genre d'arguments emploie-t-il pour convaincre son père ? Pour persuader sa mère ?

....

....

2. L'argumentation intériorisée

Nous sommes au Québec francophone et catholique, en 1930. Gabrielle, une jeune Canadienne, a épousé Edward, un Canadien français par son père catholique mais élevé à l'anglaise par une mère américaine. La mère de Gabrielle, une Canadienne de langue française profondément catholique, a tenté en vain d'empêcher ce mariage. Edward vient d'annoncer à sa femme : « Je voudrais envoyer Adélaïde (leur fille) à l'école anglaise. »

Le silence qui suit est brutal. Un refus violent surgit du fond des entrailles de Gabrielle, mais du même coup, elle se remémore l'un des seuls commentaires acides de sa mère lors de l'annonce de son engagement envers Edward : « Penses-y à deux fois, ma fille. Un étranger reste un étranger. D'autres coutumes, une autre éducation, un autre rang que le nôtre. Il n'est pas de notre monde. Il va faire tout comme, mais on le sait et ça se sentira toujours. C'est un catholique élevé avec des protestants. Il n'a pas abjuré sa foi, mais il s'est frotté à une autre manière de croire et, que tu le veuilles ou non, ça déteint. Le fils d'une Américaine, même catholique irlandaise, ne pensera jamais comme nous. Il viendra toujours d'ailleurs. Quand vous aurez des enfants, c'est lui qui décidera de tout. C'est lui qui aura tous les droits. Sur toi et sur eux. Je ne dis pas que c'est un mauvais homme ni rien, mais il aura toujours une façon de voir différente de la nôtre. Et c'est toi qui va en pâtir parce que c'est toi qui vivras sous sa loi. Toi et tes enfants. Gabrielle, n'oublie jamais ça. L'homme que tu épouses est celui qui décide pour toi et tes petits. »

Extrait du roman *Le goût du bonheur* de Marie Laberge

1. Pourquoi le refus de Gabrielle est-il si brutal et silencieux ?

....

....

2. Faites la liste des arguments de la mère de Gabrielle contre son mariage.

....

....

3. Quelle phrase résume ces arguments et pourrait être prise comme la phrase-clef de ce paragraphe ?

....

4. Au-delà de la situation du couple que forment Edward et Gabrielle, quel problème plus universel traite la romancière ?

....

//

3. PRODUCTION. Changer de vie : causes et conséquences

1. Dans un message à un(e) ami(e), vous donnez les raisons pour lesquelles vous voulez quitter la grande ville où vous habitez. Vous voulez changer de vie malgré les inconvénients que cela va occasionner pour vous et votre famille. Organisez vos arguments de manière à convaincre votre ami(e), qui n'est pas d'accord avec vous sur ce point.

Vous ne supportez pas la foule, la pollution, la durée des transports, etc.

2. Votre ami(e) vous répond. Il/elle réfute vos principaux arguments et vous conseille de rester en ville.

Il est difficile de trouver du travail à la campagne. Il faut penser à l'éducation des enfants...

Argumenter c'est essayer d'amener quelqu'un qui ne partage pas vos idées sur un sujet à adopter votre point de vue. Pour atteindre ce but, vous donnez des raisons, des preuves, des arguments pour l'influencer et le faire changer d'avis. C'est un type de texte très fréquent : base de tout enseignement, moyen de vendre des produits, justification de thèses, de décisions ou d'actions.

On fait la distinction entre des arguments de nature à convaincre (des faits irréfutables, des statistiques, des jugements passés, des comparaisons avec d'autres cas similaires : ces données relèvent du domaine rationnel) et des arguments de persuasion de nature affective. Convaincre fait appel à l'intelligence, persuader à l'affectivité du lecteur.

Pour produire un paragraphe argumentatif :

1. Créer une phase-clef pour exprimer votre objectif.
2. Exposer clairement la position de votre adversaire.
3. Contrer les arguments de l'adversaire.
4. Éclairer en détail votre propre position.
5. Conclure.

Pour évaluer l'efficacité de votre argumentation :

1. Est-ce que la position de votre adversaire est bien prise en compte ?
2. Est-ce que vos contre-arguments sont bien choisis ?
3. Combien y en a-t-il et comment sont-ils organisés ? Du moins important au plus important ou l'inverse ?
4. Y a-t-il des informations parasites ?

Pour exprimer la cause et la conséquence

Cause	Conséquence
car, en effet, à cause de, en raison de, grâce à	ainsi, donc, par conséquent, c'est pourquoi

Conjonctions + indicatif : parce que, comme, étant donné que, si bien que, de telle sorte que, puisque, sous prétexte que, si *(adjectif)* que, trop *(adjectif)* pour.

Verbes : causer, provoquer, entraîner, produire, influencer, favoriser, avoir pour effet que, influer sur, conduire à.

---

4. La voiture autonome

Après le million de kilomètres parcouru par la voiture autonome de Google et les annonces récentes des constructeurs automobiles, la voiture sans conducteur semble promise à un essor fulgurant. Pourtant, la technique n'est qu'en développement et les difficultés concrètes sont nombreuses. Roulera-t-elle vraiment un jour et remplacera-t-elle la voiture manuelle ?

« Oui », répond Pierre-Louis Desprez, spécialiste du secteur technique. Elle est réalisable et elle entraînera de profondes modifications de la société, comme le téléphone mobile. Ce sera une vraie révolution socio-culturelle, et pas simplement technologique. De quoi modifier profondément notre civilisation.

1. Dans ce paragraphe repérez des expressions de doute.

....

....

2. Dans quelle partie du texte sont-elles situées ?

....

3. Qu'est-ce qui fait basculer le sens et passer dans la zone de certitude ?

....

4. Quelle phrase est juste ?

☐ *a.* La probabilité va de la demi-certitude à la certitude et enfin elle prédit des changements fulgurants.

☐ *b.* La probabilité va du doute à la certitude pour s'amplifier et prendre des dimensions planétaires.

5. Quelles conséquences entraînera la généralisation de la voiture autonome ?

....

....

6. PRODUCTION. Imaginez ce que serait la société future si les voitures étaient autonomes. Classez les arguments positifs et négatifs que vous trouverez en deux colonnes.

Arguments positifs	Arguments négatifs
Moins de morts sur les routes	Déplacements plus longs
....	....
....	....

---

5. PRODUCTION. Les robots, un bienfait ou un réel danger pour l'humanité ?

1. Vous écrivez à un ami ingénieur qui travaille dans une usine qui fabrique des robots. Dans son dernier message, il considère les robots comme un bienfait pour l'humanité. Vous n'êtes pas de son avis. Vous répondez en réfutant ses arguments. Commencez par faire une liste d'arguments pour et contre.

Bienfaits des robots	Danger des robots
....	....
....	....

2. Classez-les par ordre d'importance et écrivez votre réponse.

OUTILS

Des mots pour l'exprimer
- Convaincre quelqu'un du bien-fondé de quelque chose avec des preuves solides / persuader quelqu'un de faire quelque chose
- Je pense / crois / affirme /confirme / concède / prétends / reconnais / soutiens / vérifie que + indicatif
- Je vous reproche de + infinitif
- Approuver ≠ désapprouver – réfuter des arguments – protester contre
- Soulever un problème – s'appuyer sur des arguments solides
- Il est hors de question que / Il est prématuré de dire que / Il est exact ≠ faux de dire que

1. Quelques conseils utiles pour améliorer votre écrit. Rangez-les du plus important au moins important.

1. Écrivez le plus souvent possible.

2. S'il vous vient des idées quand vous écrivez, notez-les soigneusement. Vous risquez de ne plus vous en souvenir ensuite !

3. Mettez-vous à la place de votre lecteur et posez-vous des questions.

4. Écrivez l'idée la plus intéressante d'abord. Cela vous donnera confiance.

5. Écrivez plus qu'il n'en faut. Il est plus facile de supprimer que d'ajouter.

6. Si vous ne trouvez pas comment écrire un mot ou si vous avez des problèmes de grammaire, faites une marque sur la page (un cercle, par exemple) et continuez à écrire.

Votre ordre d'importance : ....

2. Voici quelques conseils supplémentaires.

a. Laissez beaucoup de blanc pour les corrections ultérieures.

b. Lisez le texte à haute voix.

c. Si vous ne trouvez pas un mot, laissez un blanc et continuez à écrire.

d. Ne vous perdez pas dans les détails au début. Il est impossible d'améliorer le texte.

e. Vous n'êtes pas obligé(e) de commencer par le début du texte. Commencez par la partie du texte qui vous vient le plus facilement.

f. Concentrez-vous sur les idées.

g. Ne corrigez que les fautes de grammaire.

h. Donnez-vous le temps de préparer votre tâche d'écriture.

1. Éliminez ceux qui ne s'appliquent pas à notre propos.

2. Rangez-les avec ceux de votre première liste.

....

3. Savez-vous suivre une recette ?

Vous voulez faire un cake pour 4 personnes mais vous ne retrouvez pas votre recette. Vous possédez les ingrédients nécessaires, mais vous avez oublié les proportions. Vous savez que le poids de farine (200 grammes) est supérieur à celui de tout autre ingrédient. De plus, trois ingrédients ont le même poids : 125 grammes.

Vous avez : un paquet de farine de blé – du beurre – du sucre en poudre – un sachet de levure – trois œufs – des raisins secs – un peu de lait

1. Quels sont les trois ingrédients de même poids ?

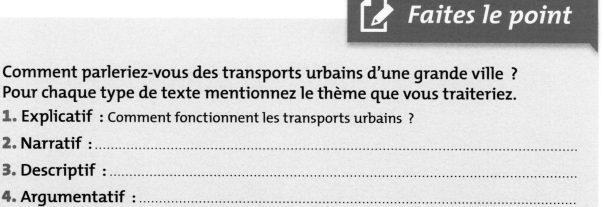

....

2. Mettez dans l'ordre la liste d'opérations ci-dessous pour préparer la pâte.

Préparation : 30 minutes environ

Temps de cuisson : 25 minutes

.... Puis baissez le four à 120 degrés et laissez cuire une petite heure.

.... Faites fondre les 125 grammes de beurre.

.... Avec une cuillère en bois mélangez dans un saladier le beurre fondu chaud avec les 125 grammes de sucre.

.... Démoulez le cake.

.... Puis ajoutez les 3 œufs entiers en les fouettant bien.

.... Laissez-le reposer 24 heures avant de le servir.

.... Mettez dans le four à 190 degrés et faites cuire 25 minutes.

.... Incorporez la levure aux 200 grammes de farine.

.... Beurrez-le pour que la pâte ne s'attache pas.

.... Versez la farine dans le mélange précédent par petites doses afin d'obtenir une pâte onctueuse.

.... Préparez un moule de 24 à 28 centimètres.

.... Versez les raisins dans la pâte et remuez avec la cuillère de bois.

.... Faites chauffer le four à 190 degrés.

.... Versez dans le moule.

.... Sortez le cake du four.

3. PRODUCTION. Rédigez au propre cette recette pour l'envoyer à un(e) ami(e) qui vous l'a demandée.

✎ *Faites le point*

Comment parleriez-vous des transports urbains d'une grande ville ?
Pour chaque type de texte mentionnez le thème que vous traiteriez.

1. Explicatif : Comment fonctionnent les transports urbains ?

2. Narratif : ....

3. Descriptif : ....

4. Argumentatif : ....

5. Prescriptif : ....

UNITÉ 6

MODES DE DÉVELOPPEMENT

1. Degrés de généralité

ⓐ En France, la très grande majorité des gens bénéficient de soins médicaux gratuits.

ⓑ La plupart des assurés consultent un médecin plus de cinq fois dans l'année.

ⓒ En juillet et en août les gens consultent peu.

ⓓ Seule une faible proportion d'assurés ne va jamais voir un médecin.

1. Quelle est l'affirmation la plus générale ? ....

2. Quelle est l'affirmation la plus limitée ? ....

3. Quels sont les mots indiquant les degrés de généralité de ces affirmations, qui en limitent la portée ?

....

....

2. Une utilisation des niveaux de généralité

Beaucoup de vacanciers souhaitent se reposer avant de reprendre une année de travail. C'est surtout le souhait de ceux qui ont entre 30 et 50 ans. Ils recherchent la mer et le soleil pour bronzer. Les partisans de l'activité à tout prix se trouvent surtout chez les jeunes. Mais le mouvement semble gagner peu à peu les autres catégories. Même les personnes du troisième âge souhaitent, de plus en plus, des vacances actives.

1. Inventez une phrase-clef pour le paragraphe suivant. Intégrez-la au paragraphe.

Ex. : La demande de vacances actives est en croissance constante.

....

2. Dessinez le schéma illustrant la structure du paragraphe ainsi obtenu.

3. Paragraphe en ordre

ⓐ

① Beaucoup trop de films encouragent la violence.

② La télévision est considérée par beaucoup comme dangereuse.

③ La publicité ne vise qu'à paralyser le sens critique du téléspectateur.

④ Les actualités télévisées sont rarement objectives.

ⓑ

① La tâche rebelle disparaît sous vos yeux.

② La lessive présentée est toujours la meilleure.

③ Les ménagères à l'écran sont immédiatement convaincues de la supériorité du produit.

④ Toutes les lessives font sous vos yeux des miracles de blancheur.

1. Mettez dans l'ordre les phrases des deux paragraphes.

Paragraphe ⓐ : ....

Paragraphe ⓑ : ....

2. Dans chacun des deux paragraphes, quelle est la phrase qui généralise l'information et quelles sont les phrases qui illustrent ou justifient cette généralisation ?

Paragraphe ⓐ : ....

....

Paragraphe ⓑ : ....

....

///

4. Donnez aux phrases suivantes un plus grand degré de généralité.

1. Quelques hôtesses de tourisme ont besoin de savoir une langue étrangère.

....

2. Peu d'étudiants en médecine lisent des journaux médicaux.

....

3. Quelques personnes pensent que la forme idéale de travail est le temps partiel.

....

4. 20% des actifs sont des salariés.

....

5. Quinze millions de téléspectateurs suivent le tirage du loto à la télévision.

....

OUTILS

Les modes de développement comme généraliser, définir, classer, comparer, expliquer par analogie, opposer, illustrer et modaliser ne sont que des procédés communément employés pour exposer clairement faits, opinions, arguments et aider le lecteur à suivre la démarche de l'auteur. Ces modes de développement ne préjugent pas de l'organisation logique du texte.

La phrase-clef est souvent conçue comme une **généralisation**.

1. Comment les dictionnaires définissent-ils ?

1. Observez.

Le dictionnaire du «Petit Robert» définit le vêtement de la manière suivante : « Objet fabriqué pour couvrir le corps humain, le cacher, le protéger, le parer. »

Ex. : Culotte : *n.f.* 1. Vêtement masculin de dessus qui couvre de la ceinture aux genoux et dont la partie inférieure est divisée en deux éléments habillant chacun une cuisse.
2. Vêtement féminin de dessous qui couvre le bas du tronc, avec deux ouvertures pour les jambes.

2. De la même manière, définissez ces vêtements.

1. Veste : ....

....

2. Chemise : ....

....

3. Jupe : ....

....

4. Manteau : ....

....

OUTILS

Comment définir ?

Pour définir un objet physique ou un concept, on s'intéressera à sa nature, sa fonction, son origine, on l'analysera en ses parties composantes et on pourra utiliser la comparaison et l'analogie pour le faire comprendre.

2. Définition des objets par leur fonction

1. Observez.

Rattachez l'objet à une classe d'objets (thermomètre → instrument), indiquez la fonction de l'objet ainsi que ses caractéristiques qui permettent de le distinguer d'objets proches.

Ex. : On mesure la température avec un thermomètre. Un thermomètre est un (petit) instrument (contenant une colonne graduée de mercure qui se dilate sous l'effet de la chaleur) qui permet de mesurer la température d'un corps.

2. De la même manière, définissez ces objets.

1. Une navette spatiale permet ....

....

2. Un ordinateur sert ....

....

3. Un téléphone sert ....

....

///

3. Définir des plantes ou des animaux
Rattachez la plante ou l'animal à une catégorie et énumérez les caractéristiques qui les distinguent de plantes ou d'animaux proches (taille, forme, lieu de vie, nourriture, fonction, etc.)

1. un tigre : ....

....

2. un pin : ....

....

3. une rose : ....

....

///

4. Variations sur la définition

Le dictionnaire définit l'argent comme un « moyen d'échange et de mesure de la valeur des choses ». La plupart des gens ont une bonne idée de ce qu'est l'argent qui circule dans nos sociétés sous forme de pièces, de chèques, de cartes de crédit, d'ordres de virement. L'argent est utile parce qu'il favorise les transactions mais il peut être dangereux et exciter les convoitises. Imaginez une société dans laquelle les gens auraient à échanger des biens matériels. Dans les économies qui se fondent sur le troc, les gens perdent un temps énorme à opérer leurs transactions. Ils gaspillent leur énergie dans des discussions sans fin pour réaliser leurs échanges.

1. Quelles sont, d'après le texte, les caractéristiques de l'argent ?

....

2. Qui utilise l'argent ?

....

3. Quels sont ses avantages et ses inconvénients ?

....

4. Quelle est votre définition de l'argent ?

....

1. Comment classer ?

① Bruine : pluie fine et lente.

② Grain : pluie marine intensifiée par des coups de vent.

③ Ondée : pluie subite, abondante mais passagère.

④ Giboulée : forte pluie souvent accompagnée de grêle.

⑤ Averse : pluie subite et abondante.

⑥ Déluge : pluie torrentielle, souvent dangereuse.

1. Quel est le terme commun à toutes ces définitions ?

....

2. Repérez les critères qui permettent de différencier les six mots.

....

....

3. Cherchez des mots qui peuvent être des catégories, des termes génériques (ex. : vêtement).

....

2. Trouvez à quelle classe d'objets ces mots appartiennent.

1. train, voiture, charrette, bicyclette : ....

2. vache, baleine, chien, cheval : ....

3. léopard, lion panthère, chat : ....

OUTILS

Comment classer ?

Un être animé, un objet, un fait ou un concept peut être rangé dans une catégorie. Par exemple, un chien, un tigre, un singe appartiennent à la catégorie des mammifères, etc. Pour classer il faut choisir des critères selon ce à quoi va servir notre classement. Par exemple, une chaise se range dans la catégorie des objets sur lesquels on peut s'asseoir, les sièges, critère fonctionnel. Par contre, si on considère le critère de prix, une chaise pourra se situer entre deux objets, l'un un peu plus cher, le second un peu moins : par exemple entre un miroir et un vase.

4

1. Un appartement : analyse et description

1. Analysez l'appartement ci-contre.

Il se compose de ....

....

....

....

....

....

2. Écrivez une petite annonce de mise en vente.

À vendre grand appartement situé au 6ᵉ étage avec ascenseur.

....

....

....

....

....

....

Salle de Bains

Chambre

WC

Penderie

Cuisine

Couloir

Entrée

Séjour

Bureau

Terrasse *Terrasse*

OUTILS

L'analyse consiste à décomposer un objet formant un tout complexe en ses parties composantes. Elle a pour objet de faciliter la compréhension de l'objet, de sa nature, de son fonctionnement en expliquant la fonction des différentes parties, de ses caractéristiques et de la façon dont cet objet se distingue d'autres objets.

chaise   tabouret   fauteuil

Ces meubles ont plusieurs caractéristiques en commun : fonction (s'asseoir), forme (siège, dossier, pieds), mais se distinguent par la présence de bras (fauteuil) et, dans une certaine mesure, le lieu d'utilisation et la caractéristique de confort.

2. Décrivez un visage.

1. Pensez à un visage ou regardez une photo. Écrivez sous chaque élément du visage ses caractéristiques et ce qu'il vous suggère.

Forme	Cheveux	Front	Yeux	Nez	Joues	Oreilles	Menton	Cou	Bouche
ovale	*noirs*	*haut*	*bleus*	*droit*	*roses*	*lobées*	*pointu*	*long*	*petite*
pureté	*beauté*	*intelligence*	....	....	....	....	....	....	....
....	....	....	....	....	....	....	....	....	....
....	....	....	....	....	....	....	....	....	....

2. Choisissez un ordre de description (par ex. : du front vers le menton ou ce qui frappe l'attention d'abord) et décrivez le visage.

....

....

....

3. PRODUCTION. Décrire des gens.
Écrivez un avis de recherche pour la personne ci-contre.

4. *Tête de femme* de Moïse Kisling

La jeune fille tient sa tête bien droite. Son visage, un ovale pur, est encadré par de longs cheveux noirs lisses qu'on a peignés en grosses boucles, trois sur le front et quatre le long de la joue. Ces boucles cachent l'oreille gauche. Elle a le front haut, découvert et de fins sourcils bien dessinés au crayon. Elle lève ses grands yeux bleus vers le ciel ou vers un personnage debout devant elle. Son nez, parfaitement droit, surmonte une bouche ronde aux lèvres charnues qu'elle garde fermée. Elle a le menton fin et le cou haut et dégagé.

1. Dites quels éléments de la tête sont mentionnés dans le texte.

....

....

2. Relevez dans le texte les éléments qui qualifient chacun des traits du visage de la femme et dites quelle impression ils traduisent : beauté, netteté, douceur, timidité.

Traits du visage	Éléments qui les qualifient	Impression qu'ils traduisent

5. PRODUCTION. Casting

Vous cherchez des acteurs et des actrices pour un film policier. Vous écrivez à une école d'art dramatique ou à une agence spécialisée pour que l'on vous envoie des gens qui ont le physique de l'emploi. Dans votre e-mail, vous faites une description aussi précise que possible des personnes que vous recherchez.

6. Qui sont ces musiciens français célèbres ? Trouvez la photo correspondant à la description.

a. Claude Debussy *b.* Olivier Messiaen *c.* Georges Bizet *d.* Francis Poulenc

① Il porte une barbe abondante, des moustaches. Ses cheveux sont peignés en travers.

② L'homme au front haut, bien dégagé, aux cheveux courts, à la fine moustache, qui est-ce ?

③ Ce musicien aux cheveux blancs porte des lunettes. Il ne sourit pas.

④ Quel musicien est celui qui regarde au loin, qui porte barbe et moustache et qui a des lèvres minces ?

① ....   ② ....   ③ ....   ④ ....

7. Portrait de l'écrivaine Marguerite Duras par un journaliste

Marguerite Duras était assise en face de moi, penchée en avant, les bras appuyés sur la table, les doigts croisés. Ses lèvres s'écartaient en un large sourire. Ses yeux rieurs, derrière de larges lunettes d'écaille me fascinaient. Elle me fixait, les yeux mi-clos. C'est une femme déjà âgée, au front dégagé, entouré de cheveux rares, mal coiffés. Elle respire la sympathie, l'humour, l'intelligence. Elle vous écoute, vous donne confiance, vous encourage... C'est votre grand-mère.

1. Quels éléments ont été choisis pour décrire le visage et l'attitude de Marguerite Duras ?

....

....

2. Qu'est-ce qui exprime le jugement ? Et les sentiments de l'auteur ?

....

....

3. Que traduit la dernière phrase ?

....

....

4. Que marque le passage de l'imparfait au présent ?

....

....

5 COMPARER

1. Quelle est la fonction de la comparaison dans le texte ?

En montant, dans l'escalier noir, j'ai heurté le vieux Salamano, mon voisin de palier. Il était avec son chien. Il y a huit ans qu'on les voit ensemble. L'épagneul a une maladie de peau, le rouge, je crois, qui lui fait perdre presque tous ses poils et qui le couvre de plaques et de croûtes brunes. À force de vivre avec lui, seuls tous les deux dans une petite chambre, le vieux a fini par lui ressembler. Il a des croûtes rougeâtres sur le visage et le poil jaune et rare. Le chien, lui, a pris de son patron une sorte d'allure voûtée, le museau en avant et le cou tendu. Ils ont l'air de la même race et pourtant ils se détestent...

Extrait de *L'Étranger* d'Albert Camus

1. Relevez les comparaisons et les mots qui les soulignent.

....

....

2. Dites quelles fonctions ont ces comparaisons dans le texte (descriptive, explicative, argumentative, poétique) ?

....

2. Analysez, puis comparez un tramway et un bus.

	Tramway	Bus
Domaine d'utilisation	ville	ville et région
Mode de traction, carburant	électricité	essence, hydrogène
Type de parcours	toujours le même	le même mais peut changer
Forme	aérodynamique	classique
Investissement initial	1 à 2 millions d'euros	100.000 à 200.000 euros
Conduite	automatique, sur rails	permis poids lourd
Passagers	plus de 200	une cinquantaine
Entretien	2 salaires + rails	1 salaire de mécanicien
Délais d'installation	plusieurs mois de pose des rails	utilisable dès l'achat
Environnement	préservé	pollution

1. Lisez le tableau de comparaison entre ces deux moyens de transport.

2. Cherchez les ressemblances et les différences pertinentes.

....

....

3. PRODUCTION. Votre municipalité veut améliorer ses transports en commun.
Terminez le texte ci-dessous d'un conseiller municipal en faveur de l'achat de bus.

La question à l'ordre du jour de notre réunion porte sur la modernisation de notre réseau de transports...

Les fonctions de la comparaison

C'est un mode de développement très fréquent : base de tout enseignement, moyen de vendre des produits, justification de thèses, de décisions ou d'actions. La comparaison est une figure de style qui consiste à mettre en rapport deux entités (idées, faits, objets, personnes...) dans le but de faire mieux comprendre ce dont il est question. Elle est utile dans les descriptions pour faire imaginer ce qui est décrit, dans les explications pour rapprocher des relations logiques, dans l'argumentation pour convaincre en établissant des analogies avec ce qui est déjà admis par le lecteur, dans les poèmes pour des raisons de sensibilité esthétique et pour créer des images insolites.

La comparaison peut s'exprimer grâce à :
- des noms : la ressemblance de... avec..., la similitude entre...
- des adjectifs : semblable/ identique/ pareil à ...≠ différent de.
- des adverbes : identiquement, pareillement, de la même manière que.
- des verbes : ressembler à, avoir l'air de, faire penser à, se confondre avec.
- des tournures grammaticales : plus/ moins/ aussi que.
  Il est plus grand que son frère.
  Cette voiture est moins chère et aussi confortable que celle de Pierre.
- des structures parallèles : *Tel père, tel fils.*
- sans mot ou expression explicite : *C'est une sacrée fourchette.* (Un gros mangeur)

OUTILS

---

4. PRODUCTION. Comparez deux sports d'équipe.

1. Faites une liste de ressemblances et de différences : historique, pays où ces sports sont joués, nombre de fans, règles du jeu, nombre de joueurs par équipe, durée d'un match, façons de jouer (avec le pied, ...), parties du corps utilisées (jambes, bras), etc.

2. Rédigez votre comparaison.

Ex. : le football et le rugby

---

5. PRODUCTION. Comparez deux villes que vous connaissez bien.

1. Pensez à leur taille, leur situation, leur architecture, les transports en commun, la qualité de la vie (la pollution), le coût de la vie, les écoles pour les enfants, la vie culturelle, etc.

2. Vous donnez des conseils à une famille qui veut aller habiter dans une des deux villes. Faites la différence entre les faits (statistiques, événements réels...) et vos opinions personnelles (à mon avis, je pense que..., il me semble que..., de mon point de vue, je considère que...).

6   FAIRE DES ANALOGIES

1. Types d'analogie

① La société est semblable à une caisse de pommes. Si l'une d'entre elles est pourrie, elle contamine toute la caisse.

② Le Président de la République est le pasteur qui mène son troupeau.

③ L'argent, c'est comme la pluie. Ça ne tombe jamais quand on en a besoin.

④ Le progrès technologique est un mirage.

1. Lisez attentivement ces analogies.

2. Sont-elles amusantes, éclairantes, restrictives ou tendancieuses ?

① .... ② ....

③ .... ④ ....

2. Expliquez ce que signifient ces deux proverbes qui utilisent des analogies.

1. Une hirondelle ne fait pas le printemps.

....

2. Après la pluie, le beau temps.

....

3. PRODUCTION. La bonne analogie

Est-ce que l'analogie entre l'écriture d'un texte et la construction d'une maison vous facilite vraiment la compréhension de ce qu'est un texte ? Pouvez-vous imaginer une analogie plus suggestive ?

OUTILS

L'analogie est une comparaison qui essaie d'expliquer un concept ou un objet inconnu en le comparant avec un objet familier ou bien connu comme, par exemple : « L'intrigue de ce film est à peu près aussi simple à comprendre que la théorie des quantas. » ou « Le film *Final analysis*, c'est du concentré de Série noire, du fort de café. » Certaines analogies sont simples et facilement compréhensibles comme l'analogie entre la vie et le voyage, la mort et les ténèbres.

L'analogie est utile pour faire comprendre un concept, le fonctionnement d'un objet ou le comportement d'une personne d'une manière nouvelle. Mais ce n'est jamais une preuve, bien qu'elle soit souvent utilisée comme telle, en particulier par les politiciens qui traitent quelquefois leurs adversaires de « fruit sec » ou même de « vieux cheval rétif ».

1. Décrivez le cycle de l'eau.

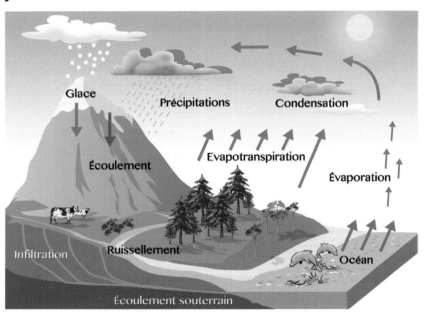

....
....
....
....

2. À quoi vous font penser ces anecdotes historiques ? À quelles occasions peuvent-elles être évoquées pour expliquer ou mettre en valeur des faits réels ?

La prise de la Bastille

Le Général de Gaulle

1. La prise de la Bastille par la foule en 1789.

....

....

2. La descente des Champs-Élysées par le Général de Gaulle en 1945.

....

....

//

3. PRODUCTION. Quelles en sont les causes et les conséquences ?

Vous réfléchissez à la question suivante : « Pourquoi la pollution se concentre-t-elle au cœur des grandes villes ? » Pour aider votre réflexion, voici quelques facteurs de ce phénomène. Vous pouvez en ajouter, en supprimer, et les utiliser dans l'ordre et sous la forme qui vous convient.

– L'air chaud monte.

– La ville absorbe de la chaleur pendant le jour.

– Les surfaces verticales des bâtiments emmagasinent l'air chaud pendant le jour et le rejettent ensuite.

– L'air chaud se dilate en montant.

– L'air des villes est pollué.

– Les plus grands bâtiments se concentrent en général au cœur des grandes villes.

– Les villes emmagasinent plus d'air chaud pendant le jour que la campagne environnante.

– L'air plus froid de la périphérie est attiré vers le centre de la ville.

– L'air des villes contient d'innombrables particules d'aérosols.

– Un plafond de pollution peut empêcher les rayons de soleil de réchauffer l'air.

– Des vents violents peuvent modifier le circuit de circulation de l'air dans les villes.

– Les particules polluantes peuvent former une sorte de dôme au-dessus des villes.

OUTILS

Donner des exemples et illustrer
Pour expliquer, il est souvent utile de recourir à des exemples, des faits, des expériences personnelles et à des illustrations dont l'exemple le plus typique est l'anecdote.

Des mots pour l'exprimer

Cause : grâce à – en raison de – comme – étant donné que – puisque (celui qui écrit et celui qui reçoit le message savent de quoi il s'agit) – provenir de – résulter de
Conséquence : afin de – au point de – de peur que (+ subjonctif) – c'est pourquoi, donc, ainsi – si bien que – de sorte que – tellement que – causer - provoquer – entraîner – susciter

1. Soulignez les traces de modalisation dans le texte suivant.

Du point de vue de l'économie française, le pari de la sortie de l'euro consiste à recouvrer l'usage de la dévaluation et de l'inflation. Le retour s'accompagnerait d'une dévaluation de 20 à 30 % qui compenserait la perte de compétitivité – prix depuis le passage à l'euro. Quatre problèmes majeurs se présentent cependant qui mettraient en échec cette relance. La faiblesse de l'industrie, qui génère plus de 70 % des exportations, ne permettrait pas de bénéficier pleinement de la dévaluation compétitive alors que les importations seraient renchéries.

Extrait du magazine *Le Point*, 28 novembre 2013

2. Modaliser une information. Complétez le texte en utilisant les formes des verbes suivants : être, avoir, exister, multiplier, permettre.

Une mémoire d'éléphant !

La capacité de notre mémoire .... dix fois plus importante qu'on ne le supposait. Des chercheurs .... réalisé une grande découverte. Il .... dix fois plus de tailles de synapse (zone de contact entre deux neurones) qu'on ne le pensait. Ce qui .... d'autant la capacité de la mémoire, la faisant passer à 1 mégaoctet (un million de milliards d'octets), soit une valeur comparable à celle du Net (2 mégaoctets en 2007). Cette découverte .... probablement de développer des ordinateurs plus efficients et moins énergivores.

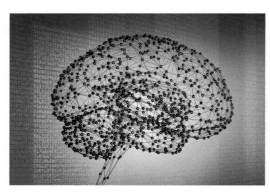

3. Prendre de la distance vis-à-vis des informations

1. Lisez attentivement ces cinq affirmations.

2. Réécrivez-les de manière différente en allant de la quasi-certitude au doute. Variez les tournures de modalisation.

1. On a supprimé les examens de sélection.

....

2. On a découvert un remède efficace contre le virus Zika.

....

3. L'entente entre les partis politiques est parfaite.

....

4. Il sera reçu au bac.

....

5. La manifestation a atteint tous ses objectifs.

....

La modalisation

Lorsqu'on présente des faits, lorsqu'on conduit un raisonnement, on n'affirme pas que des certitudes. Le plus souvent, on est amené à atténuer ses affirmations, à moduler ses opinions, à s'abriter derrière des « autorités » reconnues. Il y a de bonnes raisons à cela : on peut vouloir ménager la susceptibilité de son lecteur, on peut n'être pas absolument sûr de ce qu'on avance, on peut s'en tenir à des hypothèses, on peut ne pas vouloir dévoiler toute sa pensée, on peut vouloir se mettre à l'abri de critiques ou d'attaques. C'est le cas des journalistes par exemple, dont les sources d'information ne sont pas toujours fiables et qui n'ont aucun intérêt à heurter les sentiments de leurs lecteurs, ni à attirer des ennuis et des procès à leur journal.

C'est pour cela par exemple qu'ils écrivent que tel ou tel personne « aurait déclaré... », que « selon des sources dignes de foi... », qu'« il semblerait que des combats aient eu lieu... », qu'« il y aura peut-être des changements prochainement ... », que « les événements permettent de penser ... », que « tout porterait à croire ... », que « tout se passe comme si ... », et d'autres tournures permettant d'exprimer faits et idées qui ne manqueront pas d'influencer le lecteur, sans pour autant prendre de risques et perdre sa crédibilité.

OUTILS

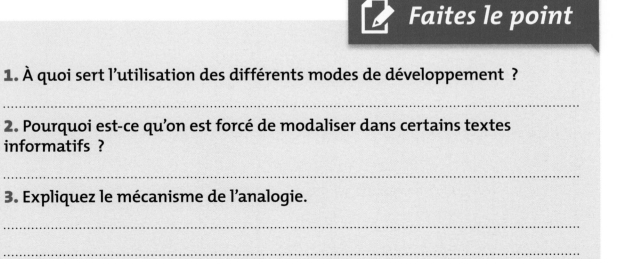

Faites le point

1. À quoi sert l'utilisation des différents modes de développement ?

....

2. Pourquoi est-ce qu'on est forcé de modaliser dans certains textes informatifs ?

....

3. Expliquez le mécanisme de l'analogie.

....

....

UNITÉ 7

LE TEXTE LONG

1. Comment résumer un article ?

Les règles du métier de journaliste

Un journaliste n'est pas un policier ni un juge. En France, un certain nombre de lois établissent les limites qu'il ne doit pas franchir. Exemple : ne pas publier d'information sur la vie privée des personnes, du moins sans leur accord (loi du 17 juillet 1970), ne pas accuser quelqu'un d'un délit (présomption d'innocence, loi du 26 août 1993). Certes, le journaliste a droit à l'erreur. Dans ce cas, les journaux publient des rectificatifs. Parfois, ce sont les personnes mises en cause qui l'exigent, y compris avec l'aide de la justice.

Exercer une profession impose un certain nombre de devoirs : c'est ce qu'on appelle la déontologie. Celle du journaliste obéit à des règles morales fixées par des grands textes, la Charte des devoirs et des droits des journalistes de 1971 reconnue par la plupart des pays européens. Cette dernière met notamment en avant l'obligation « de ne pas user de méthodes déloyales pour obtenir des informations », de « refuser toute pression », de « n'accepter aucune consigne, directe ou indirecte, des annonceurs publicitaires. »

Pour compléter ce dispositif, des journaux éditent eux-mêmes des codes de déontologie que les journalistes s'engagent à respecter. On peut notamment citer le quotidien *Ouest France* qui, dans son traitement des faits-divers, veut « dire sans nuire, montrer sans choquer, témoigner sans agresser, dénoncer sans condamner ». Le quotidien *Le Monde* a créé un poste qui existe dans de nombreux journaux américains, celui de médiateur. Celui-ci répond aux critiques des lecteurs, intervient parfois auprès des journalistes.

Malgré ces mesures, il existe encore des cas où les journalistes ne donnent pas des informations exactes, c'est ce qu'on appelle des dérapages. Et ce sont ces cas qui provoquent une baisse de confiance du public dans leur travail.

Les Clefs de l'actualité, n° 293

1. Qu'est-ce qui se passe quand un journaliste fait une erreur ?

....

2. À quoi sert le médiateur ?

....

3. Repérez l'idée centrale de chacun des quatre paragraphes. Rédigez une phrase-clef pour chacun des quatre paragraphes.

1 :..

2 :..

3 :..

4 :..

4. Reliez les phrases entre elles pour constituer un paragraphe résumant les quatre paragraphes du texte initial.

//

2. Lisez, puis résumez le texte suivant.

Inversion de la courbe de l'intelligence

Quel est le peuple le plus bête d'Europe ? Les Français à en croire nos politiques qui considèrent visiblement que les crânes de leurs concitoyens sonnent creux.

La démonstration est facile. Au Royaume-Uni, David Cameron a été élu sur un programme d'austérité, l'a appliqué et a été largement reconduit. En Allemagne, Angela Merkel, qui ne joue pas vraiment les Père Noël, en est à son troisième mandat. Tous deux ont fait confiance à l'intelligence de leurs électeurs. Ils ont expliqué que l'effort précédait le succès et ont été entendus.

En France, à l'inverse, on passe pour un esprit supérieur lorsqu'on prend les autres pour des idiots, incapables de saisir les enjeux du moment. « On ne peut pas être élu en promettant du sang et des larmes », entend-on à droite comme à gauche de la part de leaders pourtant convaincus que les réformes sont nécessaires, mais qui se piquent d'être de grands stratèges.

Ces sommités de la pensée ont peut-être oublié d'observer les faits. Nicolas Sarkozy, à l'Élysée, n'a pas osé se lancer dans les chantiers des 35 heures ou du droit du travail, persuadé que le pays ne le comprendrait pas. Il a été battu quand même. François Hollande, bien qu'il sache tout des handicaps de la France, semble terrorisé à l'idée de toucher à notre chatouilleux modèle social. Cela ne l'a pas empêché d'atteindre des niveaux d'impopularité jusqu'alors inconnus.

La courbe de l'intelligence se serait-elle inversée ? Nos seigneurs des neurones auraient-ils tout faux ? « On est toujours l'imbécile de quelqu'un. », disait Francis Blanche. « Ce sont mes imbéciles à moi qui m'énervent. » Sur le sujet qui nous intéresse, nous avons, en France une jolie brochette d'énervants.

Étienne Gernelle, *Le Point*, n° 2225 du 14 mai 2015

1. Quelle est la situation de communication ?

- Qui a écrit ce texte ?.. Pour qui ?..

- Sur quel sujet ?..

- Dans quel but ?..

- Comment ?...

2. Comment sont reformulés « nos politiques » (3 reformulations) ?
....

....

3. Écrivez un résumé suivi du texte.

a. Trouvez une phrase-clef pour chacun des cinq paragraphes.

b. Reliez ces phrases-clefs pour composer un résumé suivi.

1. Remettez dans l'ordre les paragraphes du texte suivant. La phrase 1 est la phrase-clef. La phrase 7 est la conclusion.

① La théorie de la relativité relève que ni l'espace ni le temps n'ont de réalité en soi. L'un et l'autre sont inséparablement liés dans l'espace-temps.

② Exprimée sous forme mathématique, la théorie de la relativité est difficilement compréhensible. En 1905, peu de personnes sont capables de la comprendre. Pourtant cette théorie géniale, après les expériences faites dans les laboratoires du monde entier, s'impose très vite.

Albert Einstein

③ Quand deux particules élémentaires se rencontrent, elles peuvent disparaître. Et il en résulte de la lumière : la masse s'est transformée en énergie. Inversement, si on communique de l'énergie à une particule, sa masse augmente. En découvrant sa célèbre formule $E=mc^2$, Einstein démontre qu'une quantité infime de matière est équivalente à une énorme quantité d'énergie.

④ D'après la théorie d'Einstein, en effet, notre univers n'est plus repérable par les trois dimensions – la longueur, la largeur et la profondeur – qui définissent l'espace géométrique. Désormais, c'est un univers en quatre dimensions, la nouvelle dimension étant le temps.

⑤ En quelques mois, par ses articles de 1905, Einstein ébranle la science par une cascade de découvertes : d'abord, il prouve définitivement que la matière est constituée d'atomes. Ensuite, il découvre que la matière est formée de grains d'énergie. Enfin, et surtout, il propose une idée révolutionnaire, la « relativité » du temps et de l'espace.

⑥ Pour Einstein, matière et énergie sont deux manifestations de la même chose. Elles peuvent se convertir l'une dans l'autre.

⑦ Toute mesure du temps, ou de longueur, est faite par une personne qui regarde la situation, un observateur. Eh bien ! Tout dépend de l'observateur, voilà la révélation d'Einstein : les mesures de temps et de longueur dépendent de l'observateur. Elles sont relatives.

Ordre des paragraphes : ....

Un texte est composé d'un ou de plusieurs paragraphes. L'agencement d'un texte est comparable à celui d'un paragraphe.

Paragraphe	**Texte**
– Idée Centrale (IC)	– Idée Directrice (ID)
exprimée dans la phrase clef	exprimée (en général) dans l'introduction
– Faits, idées développant l'IC	– Paragraphes développant l'ID
– Conclusion	– Conclusion

Comment concevoir l'idée directrice (ID) ?

Faites en sorte :

- qu'elle apparaisse au début.
- qu'elle exprime clairement le sens et la raison d'être de votre texte.
- qu'elle indique les limites du sujet et la façon dont vous allez le traiter.
- qu'elle annonce les modes de développement.

Comment concevoir les différents paragraphes ?

Faites en sorte :

- qu'ils développent tous l'ID (pertinence).
- qu'ils s'enchaînent logiquement.
- que la présentation ou le raisonnement progresse régulièrement jusqu'à la conclusion (dynamique du discours).

2. Comment l'État gaspille notre argent

① Serait-ce un secret d'État ? En France, il n'est en tout cas pas de bon ton d'en parler. La gestion de l'argent public semble plutôt relever d'une loi qui n'a jamais été votée, celle du silence. Confortée, c'est vrai, par l'indifférence coupable de tous les contribuables. Ceux-ci seraient pourtant en droit de se poser la question : comment utilise-t-on leurs impôts ? Nos finances sont-elles administrées en bonne intelligence, avec compétence ?

② Le dossier était trop alléchant pour qu'un provocateur professionnel comme François de Closets ne s'y intéresse pas de près. On sait que le journaliste-enquêteur-animateur-médiateur s'est imposé comme le redresseur de torts numéro 1 des Français. Défenseur des faibles et des citoyens opprimés, ce non-conformiste chronique, que l'on devrait déclarer d'utilité publique, s'est fait une spécialité de dénoncer les ratés de notre société, pourfendant privilèges, immobilisme et prêt-à-penser. Le nouveau pavé qu'il lance cette semaine dans la mare médiatique sous le titre « Tant et plus » (en résonance avec ses best-sellers, « Toujours plus » et Tous ensemble » et co-édité par le Seuil et Grasset) va produire quelques éclaboussures.

③ Notre Zorro national porte cette fois l'estocade aux grands argentiers : « Monarques élyséens ou roitelets de villages, ministres d'État ou Princes de régions, technocrates, généraux, directeurs. » Bref, tous ceux qui dépensent l'argent public, mais aussi ceux qui le reçoivent : « Industriels assistés, philanthropes subventionnés, artistes pensionnés, organismes budgétivores, corporations, associations, lobbies … ». L'argent public, a-t-il découvert, est l'objet d'un système qui marche à l'envers : celui-ci privilégie toujours la dépense et jamais l'économie ; il ne fait pas la différence entre l'utile et l'inutile, l'indispensable et le superflu et jette communément les milliards des Français par les fenêtres dans des projets inutiles, des programmes mal gérés et des bureaucraties pléthoriques. La sentence est sans appel : « C'est l'ensemble de notre secteur public qui est profondément perverti par l'irresponsabilité et le clientélisme, le laxisme et la gabegie », accuse notre justicier. Nous vivons au pays du gaspillage généralisé.

④ D'abord ces évidences que Closets nous aide à relever : l'État est aujourd'hui placé en position de débiteur et non de financier. Incapable de résister aux lobbies et aux intérêts particuliers, il pratique un interventionnisme boulimique et ne cesse d'augmenter les crédits réclamés par les ministres et les technocrates qui cherchent à satisfaire la clientèle de leurs administrés ou à créer des postes pour leurs amis. Autre perversion : aujourd'hui, une politique s'évalue à ses dépenses et non plus à ses résultats. Est ainsi considéré comme un bon ministre celui qui a réussi à augmenter son budget ! Imagine-t-on une telle logique dans le privé ? Un dirigeant qui ne chercherait pas à limiter les frais de fonctionnement et qui ne justifierait pas l'accroissement de ses finances par des résultats conséquents ne ferait pas long feu. L'État, lui, avance la tête en bas : le meilleur gestionnaire est le plus dépensier.

⑤ Cette rage budgétaire est, selon Closets, cause fondamentale du gaspillage. Renforcée, bien sûr, par une propension très tricolore à foncer la tête la première dans les technologies d'avant-garde, mais dépassées avant d'avoir été réalisées, et dans des grands projets prestigieux, mais ruineux car mal maîtrisés. Et par une habitude quasi monarchique des gouvernements à jouer les mécènes éclairés en distribuant subsides et récompenses à leurs obligés.

⑥ Non que la classe dirigeante soit corrompue. Mais elle gaspille allègrement. Et, Closets le démontre magnifiquement, l'argent qui s'envole est bien plus important que l'argent volé : des milliards d'euros chaque année. Les exemples extraits et condensés de « Tant et plus » que nous publions ici en exclusivité suffisent à le montrer.

⑦ Pour Closets, ce grand gaspillage est une forme de « corruption douce » d'autant plus insidieuse que, si l'on excepte le rapport annuel de la Cour des Comptes, elle n'est jamais dénoncée. Notre provocateur plaide ainsi pour un « art du mécontentement » qui tenterait de restaurer le respect de l'argent public, pour sauver celui de la République. Démagogie, dira-t-on. Il s'en défend. Il s'agit plutôt, pour lui, d'une déclaration d'amour à la démocratie. Car, Closets le crie bien haut, celle-ci est menacée non seulement par ceux qui contestent ses principes, mais aussi par ceux qui s'accommodent de ses défauts.

Dominique Simonnet, *L'Express*

1. Ces notes résument le contenu de chacun des paragraphes. Transformez-les en phrases en vue d'écrire un résumé. Faites-en un texte suivi en ajoutant des mots de liaison.

① Comment utilise-t-on nos impôts ?

② Nouveau pavé lancé par Closets, le redresseur de torts

③ Système perverti, marche à l'envers : privilégie dépenses

④ État incapable de résister, la valeur en politique s'évalue en dépenses et non en résultats

⑤ Causes de cette rage budgétaire

⑥ Classe dirigeante gaspille des milliards

⑦ Une corruption douce, jamais dénoncée : démocratie menacée

....

....

....

....

....

....

2. Quelle est la situation de communication du texte ?

a. Qui a écrit ce texte ?...

b. Pour qui ? Imaginez quels sont les lecteurs de *L'Express.*...

c. Sur quel thème ?..

d. Dans quelle intention ?...

3. Recherchez dans le texte des modes de développement.

a. des définitions ....

b. des relations de cause-conséquence :..

c. des généralisations :...

d. des comparaisons :...

e. des oppositions :..

f. des marques de modalisation :..

4. Quels arguments utilise D. Simmonet pour amener les lecteurs à lire l'ouvrage de Closets ?

☐ *a.* le statut et la renommée de l'auteur   ☐ *b.* la thèse soutenue dans le livre

5. Quelle analyse fait de Closets des Français à propos de :

a. leur attitude vis-à-vis des politiques :..

b. leur système de valeurs :..

c. leur attachement à la démocratie :...

6. Les « évidences » découvertes par Dominique Simmonet

a. Quelle constatation fait le journaliste ?

....

b. Quelle conclusion peut-on tirer de cette critique ?...............

....

Faites le point

1. Quelles sont les étapes pour rédiger un résumé ?

....

....

2. Expliquez ce qu'est l'idée directrice d'un texte.

....

....

3. Est-ce qu'un texte long peut contenir divers modes de développement ?

....

UNITÉ 8

Conseils pour améliorer son texte

Écrivez votre texte et laissez une marge sur le côté pour noter les changements que vous ferez après qu'il ait été évalué.

Précisez toujours les variables de votre situation de communication que vous allez appliquer dans votre texte. C'est par rapport à ces variables qu'on pourra évaluer son efficacité.

Puis relisez attentivement votre production pour préciser la ponctuation et corriger les fautes de grammaire et de lexique. Il serait dommage de jeter le discrédit sur un bon texte bien pensé et structuré par des éléments de surface.

Le texte une fois écrit, on le relit et on se pose des questions sur son efficacité. Pour cela, on se réfère aux variables de la situation de communication qu'on s'est fixées au départ. Pour savoir si on les a bien prises en compte on devra se poser les questions suivantes :

1. Qui écrit ?

L'auteur écrit-il en son propre nom (lettres, récit personnel) ? En sa qualité de professeur, d'architecte, de journaliste, d'homme d'affaires, etc. ? Au nom d'un groupe (comptes-rendus de réunions, articles de journaux ou de magazine) ?

2. À qui ou pour qui ?

- Est-ce que je m'adresse bien au(x) lecteur(s) que je connais ou que j'ai imaginé(s) ?
- Est-ce que l'information fournie est à la portée de mon/mes lecteur(s) ?
- Est-ce que j'éveille suffisamment leur intérêt ?
- Est-ce j'ai bien tenu compte du savoir qu'il(s) possède(nt) déjà pour lui/leur fournir des informations nouvelles indispensables à la compréhension de mon texte ?

3. À quel sujet ?

- Le sujet est-il clairement exposé, délimité ?
- Qu'y a-t-il en trop (redites, détails inutiles, arguments faibles, etc.) ?
- Qu'est-ce qui manque ?
- Les rapports logiques sont-ils clairs ?

4. Dans quelle intention ?

- Est-ce que j'ai bien fait ce que je voulais faire (informer, expliquer, critiquer, persuader, etc.) ?
- La stratégie employée pour présenter les faits et les idées et convaincre le lecteur, est-elle bien menée, facile à suivre, bien étayée ?
- Les faits, les idées, les arguments sont-ils bien choisis ?

5. Comment ?

Est-ce que mon choix du genre de texte (e-mail, article de journal, rapport, etc.) est adapté à mes lecteurs ?

OUTILS

PROCÉDÉS DE RÉÉCRITURE

a. La réduction

1. État de choc

L'accident de ski de Michael Schumacher rappelle que chaque année 150.000 traumatismes crâniens sont dénombrés en France.

① Si la nature n'avait pas fait parfaitement les choses, le simple fait de donner un coup de frein à vitesse élevée projetterait de façon mortelle le cerveau contre les os du front. Dès que l'homme s'est mis à rouler, à glisser plus vite qu'il ne peut courir, le cerveau, qui dispose de l'airbag du liquide céphalorachidien dans lequel il baigne, s'est retrouvé en danger. En cas de chute ou de choc, il ne peut éviter de percuter la boîte crânienne. L'organisme possède alors une espèce de disjoncteur qui, en situation de péril, coupe le courant : c'est le KO que connaissent les boxeurs. Certes il y a perte de connaissance mais, dans plus de 90% des cas, c'est pour mieux reprendre ses fonctions quelques minutes plus tard.

② Pour les 10% restants, les médecins redoutent la complication majeure : l'hémorragie provoquée par le choc, comme ce fut le cas pour le champion de Formule 1, Michael Schumacher, victime d'une chute de ski à Méribel, en Savoie. Avec pour conséquence immédiate, la constitution d'un hématome qui, la boîte crânienne étant hermétiquement fermée, comprime mécaniquement le cerveau. La victime manifeste alors sa souffrance par l'apparition d'un coma, plus ou moins rapide et profond. L'urgence absolue consiste à décomprimer le cerveau par trépanation, en créant un petit trou afin d'évacuer l'hématome. Ce geste simple, pratiqué dès la préhistoire, ne suffit pas si le saignement se poursuit, d'où une batterie d'examens, radio et IRM, pour en voir l'origine. On peut alors soit agir par une intervention chirurgicale pour suturer le vaisseau qui saigne, soit espérer que la nature colmate la brèche. En attendant, le cerveau étant en état de souffrance majeure, il faut lui permettre de survivre avec le peu d'oxygène dont il dispose.

③ En plus des moyens de réanimation traditionnels, on dispose de deux armes nouvelles : le refroidissement du corps à 34-35 degrés centigrades et surtout la mise en coma artificiel. Cette perte de conscience provoquée a pour but de réduire le travail du corps à sa plus simple expression, afin d'éviter que des mouvements n'aggravent la situation et que la pression n'augmente à l'intérieur du cerveau. Des machines s'occupent des fonctions vitales ; c'est la meilleure façon de passer la phase critique. Le patient est réveillé au fur et à mesure que l'œdème du cerveau régresse. C'est un moment délicat.

④ Pour 56% des personnes qui subissent un traumatisme crânien, il s'agit d'un phénomène négligeable. On ne sait pas à quoi rattacher des symptômes mineurs qui peuvent durer plus d'un an. En France, on estime qu'il en survient 150.000 par an dont 4.000 graves, au domicile, au travail, dans les cours d'école ou sur les terrains des sport ; une véritable épidémie qui passe complètement inaperçue, en particulier dans les maisons de retraite, chez les gens seuls qui se réveillent sans souvenir de la perte de connaissance, ou pour les bébés dont on a minimisé la chute de la table à langer. Toute personne dont la tête cogne fortement ou ayant une perte de connaissance même brève doit être amenée à l'hôpital.

Le diagnostic du docteur Lemoine, *Le Nouvel Observateur,* 9 janvier 2014

1. Voici une ébauche de phrase-clef pour chacun des quatre paragraphes. Réduisez leur longueur d'un tiers environ.

① Si, en cas de chute ou de choc, on percute sa boîte crânienne, on comprime le cerveau et on est en danger, mais l'organisme possède un disjoncteur naturel.

....

....

② On cherche d'abord à évacuer l'hématome par trépanation, mais si le saignement se poursuit il faut faire une intervention chirurgicale ou laisser faire la nature.

....

....

③ On dispose de deux nouveaux moyens, le refroidissement du corps à 34-35 degrés ou la mise en coma artificiel du patient.

....

....

④ Les 150 000 traumatismes qui surviennent en France chaque année passent en général inaperçus, mais les gens qui sont conscients d'avoir subi une perte de connaissance doivent être emmenés à l'hôpital.

....

....

2. Reliez les quatre phrases-clefs modifiées pour produire un texte suivi.

....

....

....

....

La réduction

Si le texte contient des éléments redondants, faibles ou hors sujet, par souci de concision, on supprimera donc :
- les faits déjà connus du lecteur, les redondances, les éléments parasites ou hors sujet.
- ce qui risquerait de déséquilibrer le texte, par exemple une partie beaucoup plus importante que les autres, sera réduite.
- un surplus d'arguments, de détails ralentissant le rythme ou détournant l'attention.

Le résumé est un exercice **de réduction suivi de reformulation**. Le dictionnaire offre une mine d'exemples de réduction ou de son contraire, l'étoffement, pour adapter les définitions à différents publics.

OUTILS

2. Réécrire un article de dictionnaire

Le mot « automobile » assemblant une racine grecque et une racine latine, a été créé à la fin du XIXe siècle pour désigner les nouvelles voitures sans chevaux. D'abord adjectif qualifiant tout véhicule se propulsant à l'aide d'un moteur (voiture, bateau), le mot devint ensuite un substantif désignant l'ensemble des engins à moteur qui se déplacent sur la terre ferme à l'aide de roues. On peut diviser ces engins en deux catégories : les voitures particulières (on ne dit plus « de tourisme »), conçues pour le transport de deux à neuf personnes, et les véhicules conçus pour le transport en commun des personnes (autocars, autobus) ou pour le transport des marchandises et matériaux (camions, camionnettes, tracteurs, véhicules spéciaux, etc.).

1. Réécrivez cet article pour un dictionnaire destiné à de jeunes adolescents. Supprimez tout ce qui n'est pas à la portée des lecteurs de cet âge et tout ce qui ne leur serait pas utile.

....

....

....

2. Réécrivez cet article pour un dictionnaire de français langue étrangère pour débutants.

....

....

3. Transformez l'article suivant en brève tout en conservant les informations essentielles.

Dany Laferrière, un Québécois en habit vert

Pour être élu à l'Académie française, « il faut avoir du talent, de la notoriété, et être de bonne compagnie ». Dany Laferrière, 60 ans, qui vit à Montréal, a le bon profil. Il a été élu par treize voix sur vingt et un votants. Son premier roman, fut publié en 1985, sous le titre : « Comment faire l'amour avec un nègre sans se fatiguer ». Couronné en 2009 par le prix Médicis pour « L'énigme du retour », il a récemment publié un superbe livre sur l'écriture et la littérature, « Journal d'un écrivain en pyjama ». Son humilité et sa gentillesse ont séduit tous ceux qui l'ont approché. Il occupera le fauteuil n°2, celui d'Hector Bianciotti.

....

....

....

....

1. Transformez un événement en une série d'actions.

1. Observez.

Prendre le train peut se décomposer ainsi : choisir une destination, consulter les horaires, choisir l'horaire qui vous convient, acheter son billet et réserver sa place, faire ses bagages, prendre un moyen de transport pour aller à la gare, regarder le tableau des départs, repérer le quai, trouver son wagon et sa place.

2. De la même manière, décomposez un des événements suivants :

a. faire la cuisine

b. acheter un objet

c. partir en voyage

....

....

....

2. Étoffez cette dépêche d'agence afin d'en faire un article pour un journal grand public.

> **Festival de Cannes :** La soirée de clôture du Festival de Cannes a réuni près de 1500 personnes sous des chapiteaux de toile installés près du Palais des Festivals. Le champagne a coulé à flots. La soirée n'était pas encore terminée à quatre heures du matin.

....

....

....

....

OUTILS

L'étoffement est l'opération inverse de la réduction. Il est en effet souvent nécessaire d'ajouter des éléments pour rendre un texte plus facile à suivre, plus convaincant, pour diminuer l'effort du lecteur et rééquilibrer les parties d'un texte. On pourra donc, en cas de besoin, ajouter des informations, des justifications, des exemples, des comparaisons, etc.

Exemple 1 : développer des énoncés en détaillant divers stades d'un processus.

À la place de « Il sortit », on pourra écrire : « Il se leva, prit son manteau, le mit sur ses épaules, puis, après avoir salué ses partenaires médusés d'un petit sourire narquois, ouvrit la porte et sortit sans se presser. »

Exemple 2 : ajouter des éléments qualificatifs pour créer une atmosphère.

« Le jardin était en fleurs » pourra devenir : « Le grand jardin qui s'étendait derrière la maison débordait, en cette fin de printemps, de couleurs : tous les arbustes, toutes les plantes étaient en fleurs. »

1. Remettez de l'ordre dans ce paragraphe. Éliminez les éléments parasites et reconstituez le paragraphe.

① Pour leur redonner le goût de ces réunions traditionnelles, des centaines de bénévoles travaillent pour leur préparer de véritables fêtes.

② Ce sont des personnes seules ou sans domicile, des familles en difficulté ou des femmes seules avec un enfant qui n'ont souvent pas les ressources financières, ni même l'envie de faire la fête.

③ Des manifestations de ce genre sont régulièrement organisées pour ces gens dans notre commune.

④ Ces fêtes ont lieu toute l'année.

⑤ Comme chaque année, trop nombreux sont ceux qui ne peuvent pas avoir le Noël qu'ils souhaitent.

⑥ Ils leur préparent de véritables fêtes de fin d'année autour d'un repas, d'un spectacle ou d'une distribution de jouets.

Ordre du paragraphe : ....

Éléments parasites : ....

2. Changer l'ordre de présentation des arguments

1. L'État veut construire un grand aéroport dans une région rurale. Les écologistes rejettent le projet. Ordonnez les arguments du gouvernement du plus important au moins important.

Arguments du gouvernement	Arguments des écologistes
① Développer cette région rurale	Détruire la beauté du site
② Créer des emplois	Chasser des familles d'agriculteurs
③ Attirer des investisseurs	Projet imposé, pas assez de concertation
④ Aéroports de la région insuffisants	Conserver des lieux authentiques
⑤ Moderniser le pays	Problème d'intérêt économique immédiat
⑥ Budget relativement bas	Budget toujours sous-estimé
⑦ Question de prestige, de savoir-faire	Employer cet argent pour des causes plus importantes

Ordre d'importance des arguments : ....

2. PRODUCTION. Rédigez brièvement la position du gouvernement.

3. PRODUCTION. Écrivez la réfutation par les écologistes.

OUTILS

Le déplacement, qui s'accompagne souvent de reformulations, sert à mettre un élément en valeur dans une phrase, à changer le rapport entre deux éléments, cause et conséquence, par exemple. Il sert aussi à améliorer l'ordre d'une série de paragraphes dans une argumentation et à rééquilibrer les parties d'un texte, etc.

1. Évaluer et réécrire un devoir d'étudiant

Consigne : *Résumez l'histoire du film « Le dernier métro » pour un programme de spectacles. Éliminez tout ce qui n'est pas essentiel.*

« Le dernier métro » est un film de François Truffaut de 1980, avec Catherine Deneuve, Gérard Depardieu et Jean Poiret. L'histoire se passe à Paris en 1942, sous l'occupation allemande. Marion Steiner, une comédienne, a pris la direction du Théâtre Montparnasse après le départ en Amérique de son mari, Lucas Steiner, un juif allemand. Elle monte une nouvelle pièce aidée de Jean-Luc Cottins, un ami des Steiner. Elle habite à l'hôtel, mais elle revient en

secret la nuit au théâtre. En effet son mari est toujours à Paris, caché dans la cave du théâtre. Marion engage un jeune comédien, Bernard Granger. Elle tombe amoureuse de lui. De sa cave Lucas suit les répétitions de la pièce et indique le soir à sa femme tous les changements à faire. Il devine que sa femme est amoureuse de Bernard. Un critique de théâtre antisémite, Daxiat, découvre que Lucas Steiner n'a pas quitté la France. Il fait une violente critique de la pièce et envoie deux agents de la Gestapo inspecter les caves. Prévenu par sa femme, Lucas, aidé de Bernard, a juste le temps de se cacher. Bernard quitte le théâtre pour partir dans la résistance. Deux ans plus tard, Paris est libéré. Lucas Steiner sort de sa cave. On assiste à la représentation d'une nouvelle pièce avec Marion et Bernard. C'est Lucas le metteur en scène...

Résumé d'un étudiant :

C'est un film de François Truffaut de 1980, avec Catherine Deneuve, Gérard Depardieu et Jean Poiret. Le film se passe à Paris en 1942. Marion Steiner a pris la direction du théâtre Montmartre ; son mari Lucas Seiner est juif allemand. Marion engage un comédien, Bernard Granger. Elle tombe amoureuse de lui. Il devine que sa femme est amoureuse de Bernard. Bernard quitte le théâtre. Plus tard Lucas fait une nouvelle pièce avec Marion et Bernard.

1. Évaluez le résumé produit par l'étudiant.

a. Quelle information essentielle manque ?

....

b. À qui se réfère le pronom personnel « il » de la ligne 4 ?

....

2. Réécrivez le résumé en faisant les corrections nécessaires.

....

....

2. Évaluer la production de Jean-Pierre Favier

Sujet : Un hebdomadaire français a invité ses lecteurs à prendre position au sujet de la télévision et des effets produits par celle-ci sur la jeunesse. Vous êtes un des lecteurs qui répond à cette invitation.

Monsieur,

Je suis Jean-Pierre Favier, un étudiant. J'ai lu votre lettre et je pense que ce sujet est très intéressant. La télévision dessine des images qui la jeunesse est imposé. Il y a un grand danger pour la jeunesse parce que les programmes ne sont pas toujours d'une très bonne qualité. C'est pourquoi on devrait se renseigner sur le programme pour pouvoir choisir ensuite. Il est certain que la télévision exerce une sorte de fascination à la jeunesse. Il est très difficile d'échapper. Mais la télévision est un très bon arragement dans la famille. Et elle est une bonne source de sujets de discussion entre les parents et les enfants. Les enfants peuvent regarder le journal télévisé ou les autres programmes intéressants. Par exemple ce sera une pièce de théâtre ou bien un classique du cinéma. Un autre problème est la manipulation à la jeunesse exercée par la télévision. La jeunesse accepte tout sans critiquer.

1. Quelles sont les six erreurs linguistiques qu'il faut repérer et corriger ?

....

2. Vérifiez si l'étudiant a respecté les cinq variables de la situation de communication.

– Qui ?... – À qui ?...

– Quoi ?...

– Pourquoi ?..

– Comment ?...

3. Faites la liste des avantages et des désavantages de la télévision que donne l'étudiant.

Avantages	Désavantages
....	....
....	....

4. PRODUCTION. En suivant les codes du genre argumentatif (thèse (pour), antithèse (contre), synthèse) réorganisez et complétez le texte de l'étudiant.

5. Que concluez-vous ? Qu'aurait-il dû faire pour améliorer sa production écrite ?

✎ Faites le point

1. Que faut-il faire quand on vient de produire un texte neuf ?

....

2. Expliquez le titre de cette unité : Écrire, c'est réécrire.

....

3. Combien y a-t-il de façon de réécrire un texte ?

....

UNITÉ 9

1. Faites des listes de dix items sur les sujets suivants.

① la famille

....

....

....

③ la nourriture

....

....

....

② le sport

....

....

....

④ la protection de la nature

....

....

....

2. Développer une liste

1. Vous avez décidé d'écrire un texte sur la façon dont les gens mangent et votre première liste est la suivante :

① les types de cuisine

② la faim dans le monde

③ l'alimentation et le climat

④ le budget de nourriture d'une famille de 4 personnes

⑤ les régimes alimentaires

⑥ l'alimentation et la santé

⑦ l'alimentation et le sport

⑧ l'agriculture et l'élevage

⑨ l'ascétisme

⑩ les plaisirs de la table

2. Décidez de l'aspect qui vous intéresse le plus et produisez une nouvelle série de dix items sur cet aspect.

OUTILS

Conseils

Avant d'écrire, il est indispensable de :
– se remettre en mémoire ce qu'on sait d'un sujet,
– chercher ce qui vous manque et compléter sa documentation.
Il est donc très utile de posséder des outils, des techniques de recherche de faits et d'idées.
Pour découvrir les différents aspects d'un sujet ou de ce que vous ressentez face à un problème, le plus simple des procédés est **la liste** :
– Inscrivez le sujet ou le problème en haut de la page.
– Écrivez les dix premiers mots qui vous viennent à l'esprit.
– Examinez votre liste et reprenez une des idées qui vous paraît la plus importante.
– Faites une nouvelle liste de dix mots à partir de ce mot.

3. Vous cherchez des idées pour développer un paragraphe dont vous venez d'écrire la phrase-clef. Faites une liste, puis utilisez les idées les plus intéressantes.

La liberté est le bien le plus précieux.

....

....

....

....

4. Vous êtes chargé(e) d'écrire un petit texte publicitaire sur l'un des produits ci-dessous.

Une voiture futuriste

Un esquimau

Un VTT

....

....

....

....

5. Quels métiers voudriez-vous faire ?

1. Faites une liste de métiers, puis choisissez celui qui vous plairait le plus.

....

....

2. Faites deux listes, une d'avantages, l'autre d'inconvénients sur ce métier.

Avantages	Inconvénients
....	....
....	....
....	....

2   LE REMUE-MÉNINGES

1. En trois minutes, écrivez toutes les idées qui vous viennent
à l'esprit sur le sujet : « Comment rester en bonne santé ? »

Faire de la gymnastique,..

....

2. Faites la même chose pour les sujets suivants :

1. Comment continuer ses études même en travaillant ?

....

2. Comment voyager économiquement ?

....

3. Qu'est-ce qu'un(e) ami(e) ?

....

3. Vous êtes menacé(e) d'expulsion de l'appartement que vous occupez. Vous
écrivez à l'adjoint au maire chargé du logement pour le persuader de vous éviter
cette expulsion.

1. Choisissez les trois meilleurs arguments parmi ceux qui vous sont proposés.

ⓐ Vous occupez un petit appartement de trois pièces.

ⓑ Il n'est pas juste de vous traiter de cette manière.

ⓒ Le propriétaire n'a pas besoin de cet appartement.

ⓓ Vous venez de trouver du travail et vous serez bientôt en mesure de payer votre loyer.

ⓔ Vous avez deux jeunes enfants et vous êtes seul(e) pour les élever.

ⓕ Vous êtes bien dans cet appartement, la mairie a le devoir de s'occuper de votre cas.

ⓖ Vos parents ne veulent pas vous aider financièrement.

2. Imaginez trois autres arguments.

....

OUTILS

Le remue-méninges consiste à réunir, seul ou en groupe, le plus d'idées possible
sur un sujet. On note toutes les idées qui viennent à l'esprit. Ensuite on les trie et
on les classe. C'est une technique très utilisée en marketing et en publicité.

3

1. Complétez ce réseau. Quelles branches et sous-branches pouvez-vous rajouter ?

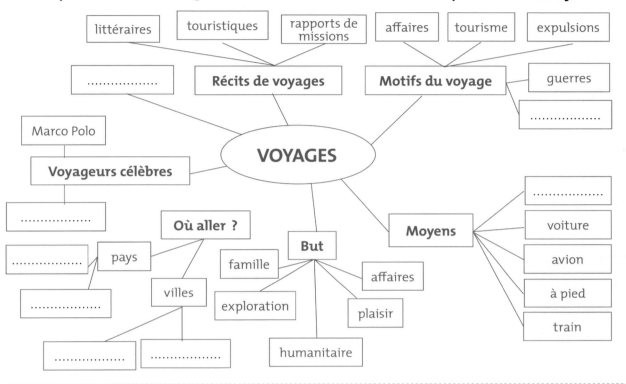

2. PRODUCTION. Créez un réseau autour du mot « ordinateur ». Qu'est-ce que ce mot vous suggère ?

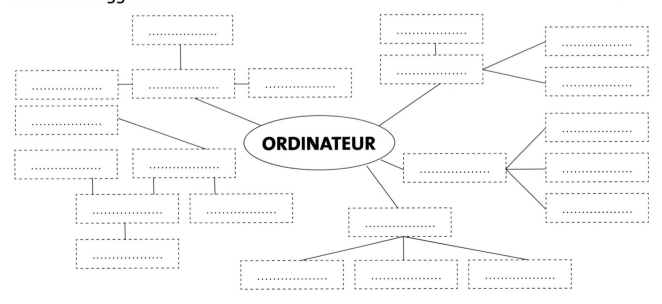

Le réseau sert à trouver des idées, à repérer les aspects du problème que vous ne connaissez pas assez bien et pour lesquels il convient de se documenter. Il sert aussi à cerner et à délimiter le problème à étudier.

Mode d'emploi : vous écrivez le concept que vous voulez analyser au centre de la feuille dans un rond. Faites partir du rond des lignes droites et, sur chacune, vous écrivez un aspect de ce concept. Vous êtes amenés à trouver des sous-catégories qui constituent autant de sous-branches. Si vous vous apercevez que le sujet original est trop vaste à traiter, vous pouvez le réduire à une des branches.

Exemple de réseau :

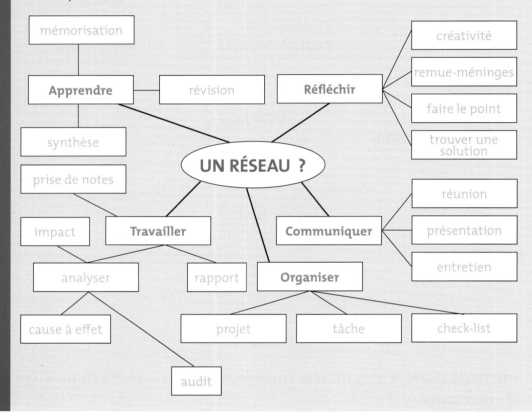

4 | L'ÉCRITURE EN BOUCLE

1. PRODUCTION. Écrivez une boucle sur le thème des voyages.

1. Commencez par relire le réseau sur le thème des voyages, que vous avez complété page 103.

2. Ensuite, écrivez sans vous arrêter pendant cinq minutes, puis relisez et essayez de dégager une idée dominante. Analysez le résultat.

3. Avez-vous trouvé des idées nouvelles par rapport au réseau que vous aviez déjà réalisé ?

☐ Oui   ☐ Non

2. PRODUCTION. Écrivez une boucle sur un des sujets suivants :

1. L'apprentissage des langues étrangères   2. L'écologie   3. Les médias

1. Commencez par écrire une liste ou par dessiner un réseau.

2. Ensuite, écrivez sans vous arrêter pendant cinq minutes, puis relisez et essayez de dégager une idée dominante. Analysez le résultat.

3. Avez-vous trouvé des idées nouvelles par rapport à la liste ou au réseau que vous aviez déjà réalisé(e) ?

☐ Oui   ☐ Non

OUTILS

L'écriture en boucle ou l'écriture libre

Au lieu de méditer devant votre feuille blanche ou votre écran et de vous décourager, écrivez 4 ou 5 minutes sans vous arrêter. Vous relisez, vous repérez l'idée la plus intéressante et vous recommencez à écrire librement. L'écriture en boucle peut être précédée d'une recherche par liste ou d'un remue-méninges.

À titre d'exemple voici une boucle à partir du thème « À quoi bon faire des études ? » :

Faire des études... Ça sert à quoi ? Pourquoi est-ce que je fais des études ? Parce que j'y suis obligé ? Je n'aurais peut-être pas choisi d'en faire. Tout le monde dit que c'est très important. Je veux bien le croire. Mais quoi ? Comment le savoir puisque je ne sais pas encore ce que j'ai vraiment envie de faire. Je ne sais pas bien où je vais et j'ai peur d'être orienté dans une voie que je n'aurais pas vraiment choisie. Je manque d'information mais, même si j'en avais, il est bien difficile de décider maintenant de ce qu'on fera dans quelques années ; ça dépend de tellement de choses...

Il semble se dégager deux idées de cette boucle libre : l'incertitude quant à l'avenir et l'absence de motivation pour les études. On peut repartir d'une de ces deux idées et se remettre à écrire sans trop calculer, pour faire jaillir les raisons de cette incertitude ou de ce manque de motivation.

Attention ! En aucun cas, ces boucles ne peuvent constituer des textes. Ce ne sont que des préparations à la réflexion et à l'écriture.

1. Préparer un rapport d'activités

Vous avez participé à un stage ou à un voyage collectif, ou à une visite d'entreprise. Vous êtes chargé(e) de faire un rapport critique et constructif. Aidez-vous de la grille SORA.

1. Situez :

a. Dans quelles conditions s'est déroulé le stage / le voyage/ la visite ?

....

b. Quels étaient les participants ?

....

c. Quels étaient les objectifs de ce stage/ ce voyage/ cette visite ?

....

2. Observez : comment le stage / le voyage/ la visite s'est-il/elle déroulé ?

....

3. Réfléchissez :

a. Qu'est-ce qui a posé problème ?

....

b. Qu'est-ce qui a été réussi ?

....

4. Comment peut-on améliorer l'organisation du prochain stage/ voyage/ de la prochaine visite ?

....

2. PRODUCTION. Inventer des monstres

1. On vous demande de préparer des effets spéciaux pour créer un univers fantastique. Indiquez les opérations que vous allez faire sur les arbres, les maisons, les voitures, etc.

2. Inventez un monstre et décrivez-le.

Les six questions journalistiques

QUI ?   Quels sont les acteurs du récit ?

QUOI ?   Quelle est la séquence des événements ?

OÙ ?   Dans quels lieux se passe l'action ?

QUAND ?   Quand est-ce que les événements se sont-ils déroulés ?

POURQUOI ? Quels ont été les motifs de l'action ?

COMMENT ? Quels ont été les moyens de l'action ?

SORA

Elle aide à classer vos idées, à préparer des exposés, des comptes-rendus, des rapports, à décrire et à commenter des expériences.

S comme situation : situer le sujet dans son contexte, le définir.

O comme observation : déterminer les aspects du problème.

R comme réflexion : analyser le cas proposé.

A comme action : proposer des solutions et des actions à entreprendre.

ARTAIR

Cette grille nous propose des manipulations que nous pouvons réaliser dans un texte. Elle permet, par exemple, de fabriquer des monstres.

A comme ajouter ou agrandir : on ajoute des cornes à un lion.

R comme réduire : on enlève un œil à un homme ou un animal.

T comme transformer : on transforme une main en queue.

A comme associer : un homme à un cheval = un centaure.

I comme inverser : la tête se met à la place de la queue.

R comme restructurer : on recompose un édifice en déplaçant ses parties.

Le texte « définitif »

Une fois, les retouches faites, il reste à produire l'exemplaire provisoirement définitif du texte. C'est alors qu'on relit son texte en accordant la plus grande attention à la ponctuation et à l'orthographe. En effet, le meilleur texte peut être gâché par une présentation hâtive, des fautes d'orthographe ou une ponctuation incorrecte.

OUTILS

Faites le point

1. De combien de façons pouvez-vous trouver des idées sur un sujet ?

....

2. À quoi servent les grilles ?

....

....

UNITÉ 10

DE LA LANGUE COMMUNE
À LA LANGUE LITTÉRAIRE

CONFESSION D'UNE RADINE

« Je suis radine mais j'aimerais ne pas l'être. La première victime de ma radinerie, c'est moi. En effet, je crois que vivre c'est dépenser, jouir, donner sans compter. Surtout, ne pas compter. Je peux me mettre en colère contre moi. Je peux réagir contre. Il n'en reste pas moins : mon premier instinct, c'est d'être radine. Je finirai comme grand-maman : invitant les autres, donnant, payant avec mon fric laborieusement économisé. Je serai la femme qui paie-plus-vite-que-son-ombre mais je resterai la radine : celle qui calcule. Parfois je me demande si c'est par radinerie aussi que j'écris. Pour que rien ne se perde. Pour recycler, rentabiliser tout ce qui m'arrive. Pour amasser mon passé, le constituer en réserve sonnante et trébuchante. Pour y entrer comme dans une salle au trésor et contempler mes pièces d'or. Pour investir et faire fructifier mon capital de sensations et de douleurs. »

Extrait de *Confessions d'une radine* de Catherine Cusset

1. Répondez aux cinq questions de l'énonciation à propos de ce texte. Qui ? Pour qui ? Quoi ? Pourquoi ? Comment ?

....

2. Relevez les mots qui se rapportent à l'argent.

....

....

3. Qu'est-ce que vous pensez en voyant cette accumulation de termes se rapportant à l'argent ?

....

4. Relevez la définition qu'elle donne de la vie.

....

5. Pourquoi est-elle en colère contre elle-même ?

....

6. Dans son cas, quel est le comble de la radinerie ?

....

7. Repérez les spécificités de la langue littéraire.

1. Ce texte est : ☐ *a.* un dialogue avec elle-même.   ☐ *b.* un dialogue entre la narratrice et une amie.

2. Quel signe de ponctuation le prouve ? ....

3. Repérez les éléments de langue parlée (mots familiers, etc.).

....

4. Quelle figure de style utilise l'auteure pour parler de l'argent ?

☐ *a.* la métaphore   ☐ *b.* la comparaison

5. À quel endroit y a-t-il une rupture de ton ? Qu'est ce que cela provoque chez le lecteur ?

....

La cafetière est sur la table.

C'est une table ronde à quatre pieds recouverte d'une toile cirée à quadrillage rouge et gris sur fond de teinte neutre, un blanc jaunâtre qui peut-être était autrefois de l'ivoire – ou du blanc. Au centre un carreau de céramique tient lieu de dessous de plat : le dessin en est entièrement masqué, du moins rendu méconnaissable, par la cafetière qui est posée dessus.

La cafetière est en faïence brune, cylindrique, muni d'un couvercle à champignon. Le bec est un S à courbes atténuées. L'anse a, si l'on veut, la forme d'une oreille, ou plutôt de l'ourlet extérieur d'une oreille ; mais ce serait une oreille mal faite, trop, arrondie et sans lobe, qui aurait ainsi la forme d'une « anse de pot ». Le bec, l'anse et le champignon du couvercle sont de couleur crème. Tout le reste est d'un brun clair très uni et brillant.

Il n'y a rien d'autre sur la table, que la toile cirée, le dessous de plat et la cafetière.

Extrait de Les gommes d'Alain Robbe-Grillet

1. Combien d'objets décrit l'auteur ?

....

2. Dans quel ordre sont-ils décrits ?

....

3. La description de Robbe-Grillet vous permet-elle de « voir » ces objets ? Pourquoi ?

....

4. À plusieurs moments l'auteur exprime des incertitudes ou des restrictions, pourquoi le fait-il ?

☐ *a.* pour pouvoir décrire le plus fidèlement possible ce qu'il voit.

☐ *b.* pour solliciter et stimuler l'imagination du lecteur.

☐ *c.* parce qu'il reconnaît que sa description n'est pas assez précise.

5. Quelle impression vous donne cette description ?

....

....

6. Repérez les spécificités de la langue littéraire.

1. Ce texte imite :

☐ *a.* un résumé chronologique.   ☐ *b.* un rapport scientifique.

2. À votre avis, qu'est-ce qui est le plus important pour l'auteur ? Expliquez pourquoi.

☐ *a.* un beau style.   ☐ *b.* les objets sur la table.

....

3. Quelle comparaison surprend ? Que provoque-t-elle ?

☐ *a.* un sentiment de beauté.   ☐ *b.* une sensation de décalage.

....

Sous le pont Mirabeau coule la Seine
Et nos amours
Faut-il qu'il m'en souvienne
La joie venait toujours après la peine

Vienne la nuit sonne l'heure
Les jours s'en vont je demeure *(bis)*

Les mains dans les mains restons face à face
Tandis que sous
Le pont de nos bras passe
Des éternels regards l'onde si lasse

L'amour s'en va comme cette eau courante
L'amour s'en va
Comme la vie est lente
Et comme l'Espérance est violente

Passent les jours et passent les semaines
Ni temps passé
Ni les amours reviennent
Sous le pont Mirabeau coule la Seine

Extrait d'*Alcools* de Guillaume Apollinaire

L'auteur vient de rompre avec la peintre Marie Laurencin. Il se souvient de ses amours avec nostalgie en regardant l'eau couler sous le pont. Ses pensées le conduisent à envisager sa mort. Quand il aura disparu, lui simple mortel, le pont sera toujours, à sa place, symbole de mémoire et de permanence, de passage et de transition.

1. Résumez en prose ordinaire le contenu de chaque strophe.

2. À quoi vous fait penser le rythme de ce poème et le retour régulier du même refrain ?

☐ *a.* à la musique que l'on jouait jadis dans les rues avec un orgue de barbarie.

☐ *b.* à une musique de danse moderne.

3. Qu'est-ce qui indique que c'est un poème du souvenir ? Associez le premier mot du poème avec le premier mot du refrain. Quel mot obtenez-vous ?

....

....

4. Qu'est-ce qui indique dans les deux premières strophes que le souvenir est personnel ?

....

....

5. Qu'est-ce qui montre que cette expérience personnelle est généralisable dans les strophes 3 et 4 ?

....

....

6. Qu'est-ce qui fait que ce poème est un exemple d'écriture littéraire ?

....

CORRIGÉS DES EXERCICES

UNITÉ 1 : TESTEZ-VOUS

Page 8

1. Pour passer avec succès un entretien d'embauche, il est préférable que le **candidat** n'utilise pas les mots « jamais » et «toujours ». Ces deux mots seraient le **signe** de mauvais candidats qui pensent en noir et blanc, sans nuances, par manque de flexibilité **intellectuelle**. Leurs réponses montrent de l'insécurité. Ainsi à la question : « Parlez d'une **expérience** pendant laquelle vous avez subi des **remarques** négatives de la part de votre employeur », on relève des réponses comme « Je n'ai jamais eu à **faire face** à une telle situation », ou « Avant de commencer un travail, je **vérifie** toujours avec mon patron pour qu'il n'y ait pas de **malentendu** entre nous » Un bon candidat montre son expérience. Il se rappelle d'exemples précis, raconte une situation dans les **détails**. Un mauvais candidat dissimule son manque d'expérience en utilisant des réponses péremptoires.

2. Le phénomène est tellement important à New York qu'on le nomme « fatal attraction ». Cette attraction fatale, c'est celle des **lumières** des buildings des grandes **villes** américaines qui aveuglent les **oiseaux migrateurs** habitués à s'orienter grâce aux étoiles et les conduit à leur perte : chaque **année** aux États-Unis, ce sont des dizaines de millions d'oiseaux qui s'écrasent contre les vitres des **bâtiments**. C'est donc dans l'espoir de les **protéger** que la ville de New York a **décidé** de réduire l'éclairage nocturne. À chaque printemps et automne, c'est-à-dire pendant les pics de **migration**, la ville éteindra entre 23 heures et l'aube, les lumières qui brillent inutilement dans les bureaux vides mais aussi les lumières extérieures particulièrement éblouissantes.

Page 9

3. Dans l'ordre : soir ou jour – baissait – petites – route – jours – cheveux – poupées – cassé – perdu – tenaient – berçant

Page 10

1. 1e – 2h – 3a – 4g – 5c – 6b – 7i – 8f – 9 d

2. Le rugby à XV est un sport collectif. Il se pratique entre deux équipes de quinze joueurs, chacune avec un ballon ovale durant deux mi-temps de quarante minutes. Ce sport a été inventé dans la première moitié du XIXème siècle en Angleterre. Il s'est ensuite répandu dans les colonies britanniques et dans d'autres pays d'Europe. Le but du jeu est d'aplatir le ballon au-delà de la ligne de but de l'adversaire afin de marquer des essais. On peut aussi profiter des fautes de l'adversaire pour tirer des pénalités. L'équipe qui a marqué le plus de points remporte la victoire.

3. Jusqu'aux années 60 l'art était affaire d'initiés. Il n'y avait que quelques musées intimidants et solennels, déserts et poussiéreux. On y traînait parfois les enfants. Il y en a aujourd'hui en France 2200. Les galeries à Paris se comptaient sur les doigts de la main. Il y en a maintenant près de 5000. Le collectionneur était une espèce rare. Souvent peu fortuné, il se ruinait pour acheter les œuvres qu'il aimait et les gardait jalousement pour le plaisir de pouvoir les contempler en secret. Aujourd'hui, ils sont innombrables. Moins ils ont d'œuvres, plus ils les montrent : ça fait chic et branché. On fait ses courses dans les foires de l'art et on se presse aux expositions.

Page 11

1. 2. a. les effets du mariage sur les mariés.
3. a. Jusqu'à deux kilos.
4. a. Garder la ligne n'est plus une nécessité pour trouver un mari.

2. 1. a. Avez-vous grossi dans l'année qui suivi votre mariage ?
2. a Aux couples mariés et au public en général.
3. 1. 3 – 4 – 5 – 2 – 1

Page 12

2. Voir le texte original.
2. 1. David Cameron et François Hollande.
2. grandissant – dirigeant – création – croissance – élection
3. a
4. b. Le courage en politique.

Page 13

5. a. Il est incapable de faire de vraies réformes.
2. c, a, b
3. b
Outils
1. anticipation, plantation, élection
2. Libre

Faites le point
1. Au début d'une phrase et pour les noms propres.
2. Féminin.
3. Balayer des yeux, relire très rapidement le texte.
4. Observer d'abord le texte comme un tout.

UNITÉ 2 : LA SITUATION DE COMMUNICATION

Page 16

1. 1. Une femme.
2. À son amie Émilie.
3. À propos d'un grand secret.
4. Elle veut partager ce grand secret avec elle.
5. Elle lui écrit un e-mail.
2. a. Un professeur.
b. Pour des étudiants comme vous.
c. De compréhension et de production écrites.
d. Parce que c'est une nouvelle façon de travailler la communication par l'écrit.
e. Un cahier d'activités auto-correctives.

Page 17

3. 1. Texte 1 : b – Texte 2 : c – Texte 3 : a
2. Texte 1 : b – Texte 2 : c – Texte 3 : a
3. Oui, c'est possible.

Page 18

4. 1. Texte 1 : a – Indices : notre immeuble, il attire l'attention du responsable (= le syndic) pour la troisième fois - le ton est poli.
Texte 2 : b – Indices : Seul le syndic est responsable des réparations – ordre donné d'un ton neutre mais ferme.
Texte 3 : d – Indices : rendre visite – ton amical – laisse voir sa colère (expérience intolérable).

Page 19

2. Texte 1 : b – Indices : Lettre de réclamation à la personne qui gère l'immeuble, le syndic.
Texte 2 : a – Indices : Le syndic donne l'ordre de réparation à la société qui répare les ascenseurs.
Texte 3 : c – Indices : Un visiteur raconte son aventure à un ami. Ses parents habitent l'immeuble.
5. 2. a
3. a : le français est plus simple à comprendre pour les enfants.

Page 20

6. 1. a. Texte 2 : une personne qui aime tricoter.

Texte 3 : madame Travers.

b. Non parce que la personne qui a acheté de la laine pour tricoter le pull qu'elle a vu dans une vitrine, ne peut pas être madame Travers.

2. Texte 1 : à une amie.

Texte 3 : à celui ou celle qui a emporté le pull par erreur.

3. Texte 1 : c

Texte 2 : a

Texte 3 : b

4. Texte 1 : exprimer sa joie d'avoir trouvé le pull de ses rêves.

Texte 2 : informer de ce qu'il faut pour tricoter ce pull.

Texte 3 : demander à la personne qui l'a emporté de rapporter ce pull.

Page 21

1. 1. Texte 1 : d – familier / subjectif : commentaires et émotions.

Texte 2 : e – neutre / objectif : rien que les faits.

Texte 3 : a – neutre / subjectif.

Texte 4 : b – soutenu / objectif : faits et point de vue de l'auteur.

Texte 5 : c – neutre/ subjectif : arguments pour pousser les autorités à faire des travaux.

Page 22

2. Texte 1 : exprimer la déception et le ras-le-bol, se plaindre.

Texte 2 : raconter l'accident.

Texte 3 : exprimer l'appréhension et l'inquiétude, raconter l'accident et critiquer les autorités municipales.

Texte 4 : informer sur le danger que fait courir le carrefour Dautry.

Texte 5 : critiquer les autorités municipales, se plaindre.

2. a. Libre

b. Exemple de production : Fait divers

Hier un accident s'est produit place Dautry qui détient le record absolu de collisions de toute la ville. Des témoins nous ont raconté la scène. Une voiture qui débouchait sur la place a été heurtée par une voiture qui venait de la rue d'Alsace. Heureusement il n'y a pas eu de blessé, mais les dégâts matériels sont assez importants. Cette place est un danger permanent. Quand est-ce que les autorités qui règlent la circulation en ville s'en apercevront-elles ? Mieux vaut tard que jamais !

3. Exemples de production :

Vous vous souvenez de l'endroit le plus dangereux de la ville où on ne comptait plus les accidents de circulation. Notre Maire a fini par écouter nos doléances. Il y a deux ans déjà, les travaux de rénovation commençaient. Ils furent longs et coûteux, mais le résultat est atteint. On peut circuler dorénavant au carrefour Dautry en toute sécurité. L'inauguration a eu lieu hier en présence du Maire et de tout le conseil municipal. Le Maire a pris la parole pour souligner la nature et la qualité des travaux effectués. Nous n'hésitons pas à le féliciter de cette réalisation qui vient à point – est-ce un hasard ? – pour nous rappeler la proximité des élections.

L'inauguration du nouveau carrefour Dautry s'est déroulée hier à la satisfaction générale. L'assistance était nombreuse et les gens se pressaient près de l'estrade érigée en plein air. Dans son discours, le Maire a expliqué que les travaux avaient été retardés par manque de moyens, mais qu'il avait pu obtenir une subvention du ministère des transports. Il a remercié tous ceux qui avaient participé à l'aménagement du carrefour et s'est excusé auprès des riverains qui avaient été incommodé par ces travaux pendant près de deux ans. Il a été longuement applaudi. Il est reparti à midi trente et le carrefour a été rouvert à la circulation.

Page 23

4. 1. a. un vacancier déçu.

2. 1 c – 2 d – 3 b – 4 a

3. Extrait 1 : faire une réclamation auprès de l'agence qui lui a vendu le voyage.

Extrait 2 : informer un ami de sa « drôle d'aventure ».

Extrait 3 : se plaindre à l'association des agences de voyages.

Extrait 4 : proposer de témoigner, attirer l'attention du rédacteur du journal local pour qu'il mette en garde ses lecteurs.

Page 24

1. 1. Il est question d'une invention récente, un appareil photo photovoltaïque qui produit sa propre électricité.

2. Un professeur de science informatique, Shree K. Nayar.

3. Les capteurs d'images et les cellules photovoltaïques.

4. Il a construit un capteur qu'il a placé dans un boîtier réalisé grâce à une imprimante 3D.

5. Parce que l'appareil ainsi transformé produit l'énergie suffisante pour charger les batteries.

6. a, b et c

Page 25

2. 1. b

2. a

3. a

Faites le point

1. Elle se définit par ses cinq variables.

2. Informer, féliciter, critiquer, réconforter, se plaindre, etc.

3. Les autres variables sont affectées et peuvent changer.

UNITÉ 3 : LE PARAGRAPHE, UNITÉ TEXTUELLE

Page 28

1. 1. Phrase clef : Fernand Point pratiquait une cuisine régionale, (préférant la fraîcheur et le goût du produit aux présentations compliquées).

2. Sa préférence pour la simplicité et son choix de la cuisine régionale plus vraie.

3. a. position : rompre avec la tradition.

b. reformulation : Fernand Point, c'était la cuisine-vérité.

4. La cuisine régionale, c'est la fraîcheur et le goût du produit.

Page 29

2. 1. Maigret / il

2. a

3. a

4. a. tranquillement – b. il ira se rafraîchir – c. vivre la sienne – d. (prendre) sa retraite

5. a. au lieu de – b. comme

6. b

Page 30

1. 1. jusqu'aux années 60 / aujourd'hui

2. le présent et l'imparfait

3. a. Le collectionneur était une espèce rare. – b. On y traînait les enfants.

4. musées intimidants, déserts et poussiéreux / On y traînait les enfants. / espèce rare (...) se ruinait (...) contempler en secret

5. Moins ils ont d'œuvres, plus ils les montrent. / On fait ses courses dans les foires de l'art. L'auteur critique les deux situations pour des raisons différentes : le manque d'intérêt pour l'art dans le passé et l'excès du phénomène de mode dans le présent.

Page 31

1. 1. la première phrase

2. Elle est développée par une reformulation-définition de la biosphère, puis par un examen des limites des quatre lieux où elle existe.

3.

	Phrase-clef		
	la biosphère ... (reformulation/définition)		
sur terre	dans la mer	dans le ciel	dans l'air
	bien que...	mais ...	

2. 1. la première phrase.

Page 32

2. les sports d'endurance et les sports de force
3 À l 'inverse
4. les sports d'endurance
5. a et b, la première partie étant illustrée par une anecdote et la deuxième par une comparaison.
6. oui
3. 1. a
2. carburant spécialement mis au point - précieux liquide - ces mélanges à 152 euros le litre.
3. C'était de mettre au point un carburant performant à 1800 mètres d'altitude.
4. À cause de la recherche et du transport si difficile.

Page 33

5. b
6. Phrase clef : La nouvelle saison opposera différentes équipes de chercheurs.

les spécialistes d'ELF
       qui ... de carburant spécialement mis au point...
       le précieux liquide ....
       éviter les chocs

Le paragraphe est atypique. Il semble incomplet. On s'attendrait à un deuxième exemple faisant écho à « en pôle position ».
4. Consulter l'unité 9 pour chercher des idées. Réponse possible : Ma chère Emilie, Je te remercie pour tes conseils. Je t'accorde que les produits bio sont meilleurs pour la santé, qu'un poulet de ferme élevé en plein air est bien plus savoureux qu'un poulet élevé en batterie et que des fraises produites artificiellement n'ont aucun goût. Mais c'est une nourriture de riche que je ne peux pas me permettre d'acheter. Les produits bio sont en moyenne 30% plus cher que des produits industriels. Je n'ai pas les moyens d'en acheter.

Faites le point

1. Le paragraphe à thème unique (Un grand chef – Le Commissaire Maigret), le paragraphe à deux parties (généralement en opposition) (Le sport : l'évidence la plus méconnue, Évolution), le paragraphe avec plusieurs développements de la phrase clef, tous au même niveau (La biosphère).
2. Deux parties en opposition : Le sport : l'évidence la plus méconnue, Évolution.
Une structure unique répétitive : Le Commissaire Maigret.
Une structure atypique : F1 : La guerre des carburants.

UNITÉ 4 : L'ORGANISATION DU PARAGRAPHE

Page 36

1. 1. e – h – c – d – f – b – g –a.
2. a. l'imparfait
b. le passé composé
c. le passé simple
Exemple : Comme d'habitude monsieur Vincent se levait à sept heures.
Il se préparait entre sept heures et sept heures et demie.
Il finissait de prendre son petit-déjeuner à sept heures quarante-cinq.
Il préparait ses papiers, puis il appelait sa fille à huit heures moins dix.
À huit heures, il la déposait devant l'école.

À huit heures vingt, il entrait dans le garage de son entreprise.
À huit heures et demie, il s'asseyait devant son bureau.
Jusqu'à midi trente il recevait des clients et il dictait des lettres à sa secrétaire.
À midi trente, il allait prendre son repas au restaurant de son entreprise.

Page 37

2. Exemple : Cher/ Chère ...,
Je ne me sens pas très bien aujourd'hui, j'ai le moral au plus bas, c'est pourquoi je viens chercher un peu de réconfort près de toi. Je ne sais plus quoi faire de ma vie. Je tourne en rond dans ma petite vie où tout est bien ordonné, programmé, sans aucune fantaisie. C'est une routine absurde que je ne peux plus supporter. Toi, au moins, tu as une vie agréable...
3. Georges Braque est né le 13 mai 1882 à Argenteuil. Huit ans **plus tard** la famille Braque s'installe au Havre. **Après** le lycée, il entre en apprentissage chez le peintre-décorateur Rone. En 1902, à vingt ans, il s'établit à Paris et s'inscrit à l'académie Humbert. Il séjourne cinq mois à l'Estaque **au cours de l'année** 1906 et expose sept toiles fauves au XXIIème Salon des Indépendants. C'est sa période fauve. À l'automne de 1907, il rend visite à Picasso et découvre *Les demoiselles d'Avignon*. Ensemble, ils inventent le cubisme. Son père meurt en 1911 et, **la même année**, il rencontre sa future femme, Marcelle Lapré. **Au début de** la guerre de 1914, il est mobilisé et envoyé au front. **L'année suivante**, il est grièvement blessé et décoré de la Croix de guerre. Il est démobilisé en 1917 et recommence à peindre. Son exposition de 1919 à la galerie de l'Effort moderne reçoit un accueil enthousiaste. Au Salon d'Automne de 1922, une salle entière lui est consacrée. Il est désormais célèbre et cette gloire durera **jusqu'à** sa mort en 1963.
4. Libre

Page 38

5. 1. a Le 5 janvier 2015, la neige se mit à tomber à huit heures du soir.
e À dix heures, le 5 janvier quelqu'un appela la police et dit : « Il y a eu un meurtre 105 rue de la Poste . »
f Les policiers arrivèrent à la maison dix minutes plus tard.
g La première chose qui attira leur attention fut que la porte arrière de la maison était restée ouverte.
h Ils ne trouvèrent aucune trace de pas quittant la maison.
b La famille de la personne assassinée, Monsieur et madame Durand et leur nièce Carole les attendait dans le salon.
j Madame Durand dit : « Ma tante a été tuée. Elle est dans sa chambre. Le couteau est sur le lit à côté d'elle. »
l « Nous sommes bouleversés, continua Madame Durand en sanglotant, nous sommes les seuls parents qu'avait ma tante. »
m Dans la chambre, le commissaire de police trouva le corps d'une vieille femme. Elle avait été poignardée dans le dos.
c Sur le sol, près de la vieille femme, gisait sa boîte à bijoux vide.
p Le commissaire demanda : « Qui était dans la maison ce soir ? »
n «Je suis resté à la maison toute la soirée. J'ai regardé la télé », dit M. Durand.
d « J'étais dans ma chambre en train de lire jusqu'à dix heures », déclara Carole.
o « J'ai fait des courses et quand je suis je suis rentrée il était presque dix heures. »
i «J'ai découvert le corps quand je suis allée dans la chambre de ma tante pour lui montrer la nouvelle robe que j'ai achetée ce soir. »
2. La neige ne porte pas de trace de pas. La boîte à bijoux est retrouvée vide. Le couteau qui a servi à l'assassin est resté sur le lit de la tante. La tante a probablement été assassinée pendant son sommeil. Elle tournait le dos à son assassin.

3. a. Est-ce que Carole est sortie de sa chambre entre huit heures et dix heures ?
b. Dans quel magasin avez-vous acheté une robe ce soir ?
4. Parce qu'elle a menti au commissaire. Elle est restée dans la maison et elle a ouvert la porte de derrière pour faire croire que l'assassin était entré par la cuisine.
5. Réponse possible : Madame Durand a inventé sa sortie dans les magasins. En fait elle est restée dans la maison. Carole déclare qu'elle va lire et s'enferme dans sa chambre. Si elle était sortie, monsieur Durand l'aurait vue. Madame Durand entre dans la chambre de sa tante. Le mobile du crime est l'héritage. Les Durand sont ses seuls parents. (Carole est la fille d'un frère de monsieur Durand et la tante est la veuve d'un frère de madame Durand.). Elle trouve sa tante endormie sur le côté. Elle la poignarde dans le dos et laisse le couteau sur le lit. Elle prend les bijoux et laisse la boîte vide. Elle va ouvrir la porte de derrière pour faire croire que le meurtrier est entré par la cuisine. Elle revient près de son mari et lui raconte son crime. Monsieur Durand (qui doit être complice) téléphone à la police.

Page 39
1. 1. Réponse possible : Les cheveux blond clair jouent le rôle de rideaux et encadrent le visage. Les yeux se transforment en vues de Paris, le nez évoque le foyer tandis que les lèvres épousent la forme d'un divan rouge. Sur le sol des cordons de rideaux ferment le bas du visage et dessinent le menton. Les décorations des embrasses des rideaux figurent des boucles d'oreille.
2. c. de haut en bas

Page 40
2. 1.

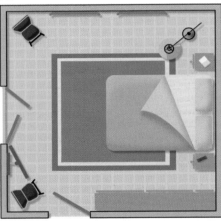

2. Réponse possible : J'ouvre la porte et j'entre dans la chambre. Dans le coin, à ma gauche, il y a un fauteuil. Sur le mur, entre le fauteuil et la fenêtre est accroché un écran plat de télévision. La fenêtre ouvre sur un jardin..Dans l'autre coin de gauche se trouve un deuxième fauteuil, identique au précédent. Deux grands tableaux sont accrochés sur le mur du fond. Dans le coin droit on a placé une lampe. Le lit est centré sur le mur de droite. Du lit on peut regarder la télévision. De chaque côté du lit il y a une table de nuit. Une grande penderie couvre tout le mur à ma droite. Un grand tapis occupe le centre de la pièce.
3. Libre
3. 1. 1. de gauche à droite
2. de haut en bas
3. de l'avant vers l'arrière
4. de gauche à droite
5. du bas vers le haut
Ce choix n'a rien d'absolu. Il serait différent dans les civilisations qui écrivent de gauche à droite ou de haut en bas.

Page 41
2. Libre. Réponse possible : C'est la photo d'un groupe de six sportifs. Au premier plan deux jeunes d'une vingtaine d'années, vêtus du maillot bleu foncé de leur club, sont accroupis. Celui de droite tient un ballon de basket sous le bras gauche. Les maillots portent respectivement les chiffres 41 et 15. Derrière eux, quatre personnages se tiennent debout. Trois portent des maillots bleus chiffrés comme les deux joueurs de devant. Le quatrième personnage, celui de gauche, porte un t-shirt blanc sur son pantalon bleu à la couleur du club. Il croise les bras derrière lui. Il a une longue chaîne autour du cou qui se termine par un sifflet. C'est probablement un entraîneur ou un arbitre. C'est un homme de couleur comme le sportif de droite. Ils sont tous souriants.
4. 1. b. Du haut vers le bas.
2. Réponses possibles : C'est un individu d'une vingtaine d'années. Il est coiffé d'une casquette grise. Elle cache en partie des cheveux blonds châtains abondants dont les boucles encadrent son visage. Il porte de grandes lunettes qui laissent voir un visage plutôt rond, assez sympathique. Il a de larges lèvres serrées. Il porte une chemise de sport à carreaux rouge et bleu foncé délimités par d'étroites bandes blanches.
Le deuxième individu est un homme d'une quarantaine d'années. Il porte un grand bonnet de laine grise qui descend jusqu'aux yeux et lui cache le front. Il est de face et vous regarde fixement. Il a le nez droit, une moustache épaisse et une barbe noire qui dissimule une partie de son visage. Il porte un t-shirt blanc sous une veste noire.

Page 42
1. 1. Une place – la bourse de valeurs – marché à terme – la capitalisation – la chute des bourses mondiales – jouer un rôle dans le domaine financier – la croissance de l'économie
2. Réponse possible : Cet article a été publié avant l'arrivée de la Chine sur le marché des valeurs. New York et Tokyo dominaient les bourses mondiales. Londres n'était que troisième loin derrière les deux places principales. Puis venaient Francfort, Paris, Milan. La capitalisation de Madrid, Barcelone et Palerme restait inférieure à celle des grandes places européennes. Toutes les bourses étaient à l'époque, dépendantes de l'humeur qui prévalait aux États-Unis et au Japon.
3. L'ordre d'importance décroissant : du plus au moins important.
2. Réponse possible : Ses bonnes recommandations, sa licence en psychologie, sa ponctualité (Elle est toujours à l'heure), sa connaissance de deux langues étrangères, sa voix agréable au téléphone la qualifient, et au-delà pour un simple poste de réceptionniste. De plus, elle est célibataire, elle n'a pas d'enfants, elle habite près de l'entreprise qui lui fait passer une entretien.

Page 43
1. Réponse possible : Le sondage réalisé par la Sofres à la demande du journal « Le Figaro » sur un échantillon d'adolescents de 13 à 17 ans fait apparaître que les jeux vidéo continuent d'être le premier choix des jeunes (49%). Mais ils sont suivis de près par la fréquentation des copains, les deux choix n'étant pas incompatibles (48%). Écouter de la musique et la pratique d'un sport semblent être leurs deux activités favorites. Le choix suivant, regarder la télévision, n'a obtenu que 27% des suffrages. Voir son/sa petit(e) ami(e) augmente régulièrement son score étant donné que les relations entre garçons et filles commencent de plus en plus tôt (25%). Faire les boutiques (15%) indique que les jeunes repèrent les vêtements que leurs parents achètent. La lecture de BD ne recueille que 12% : elle est en constante diminution car elle est remplacée par la pratique des jeux vidéo.
2. Libre

1. Pour faciliter la lecture et permettre au lecteur de se représenter la scène selon ses habitudes de lecture.
2. On peut l'utiliser dans tous les cas où on veut mettre l'accent sur un élément particulier.
3. À séquencer des faits d'après leur ordre d'apparition, par exemple dans un CV on utilise l'ordre chronologique inversé : on part du présent et on remonte dans le temps.

UNITÉ 5 : CINQ TYPES DE TEXTES

Page 46

1. a. Un journaliste – Pour les lecteurs du journal – Un match de football avancé – Pour les informer – Une brève (Un court article réduit à l'information essentielle).
b. Un journaliste – Les lecteurs du journal – Un accident d'avion en Inde – Informer les lecteurs – Une brève.

Page 47

2. 1. c
2. a. triste, errant, désespoir, nuit, abandonné, trop cher, trop grand, vieux, handicapé, irresponsables, gros loup noir, chiens de couleur noire, douleur, abandon, victime, peine, indifférence.
b. vie partagée, fidèle, pris en charge, soigné, refuge, joueur, câlin, calme, grande gentillesse.
c. destin, aboyait, propriétaires, équipes, box, visiteur, adopter.
3. Ce sont les mots à connotation négative les plus nombreux. Tout le texte a cette connotation triste destinée à émouvoir le lecteur.
4. Il y a plus d'un an, après de longues années, immédiatement, les mois se suivent, deux fois plus de temps, aujourd'hui.
3. 1. Ces deux expressions de temps ne marquent ni la durée, ni l'événement ponctuel par elles-mêmes. C'est le choix du temps du verbe qui indique la différence. « À huit ans » couplé avec l'imparfait semble prendre un sens de durée. De même, « Un jour » est couplé avec le passé simple qui exprime une série d'actions uniques.
2. **Passé simple** : Il manifesta, nous eûmes, il refusa, je le plongeai, Jacques le porta, il hurla, ces essais n'eurent aucun succès, il se corrigea tout seul, nous décidâmes : **actions ponctuelles dans le passé** qui ne se sont pas reproduites ou qui n'ont pas créé d'habitude. **Imparfait** : il faisait ses courses, je rentrais : **actions habituelles dans le passé ;** il estimait, il me dépassait : **états d'esprit.**

Page 48

4. 1. Situation de communication
Qui : un journaliste
Pour qui : pour les lecteurs du journal
Quoi : une dégustation gratuite
Pourquoi : pour informer les lecteurs
Comment : une brève dans le journal
Pourquoi : pour faire de la publicité

2. Éléments du récit
Qui : les commerçants
Quoi : une dégustation gratuite
Où : dans le centre-ville et zoning de Comines
Quand : les 20 et 21 novembre
Pourquoi : à l'occasion de la sortie du Beaujolais nouveau

Page 49

5. 1. Au fur et à mesure que le temps passe, les informations se font plus précises. Dans les trois premières dépêches le journaliste prend des précautions. Il utilise des adjectifs et de adverbes comme « probable, apparemment, contradictoire » et un conditionnel « serait ». La 4e dépêche a un ton plus assuré.
2. a. Séisme de forte intensité.
b. Centre-ville gravement touché, électricité coupée, conduites d'eau détruites, communications téléphoniques interrompues, Palais présidentiel très endommagé.
c. Le président est sain et sauf.
d. Bilan catastrophique : plus de mille morts, des milliers de sans-abris, des dégâts matériels s'élevant à des millions de dollars.
e. L'armée, la police et des centaines de volontaires fouillent les ruines. Des équipes de secours vont arriver dans la journée.
f. Ils offrent de l'aide humanitaire.
3. a. Quand ont eu lieu les précédents tremblements de terre ? Quelle était leur importance ?
b. Dans les archives du journal.
4. a. Titre : Panique à Mexquito / Le sort s'acharne sur Mexquito. Sous-titre : Un violent séisme a dévasté Mexquito la nuit dernière. Le bilan est très lourd.
b. Libre
6. Libre

Page 50

1. 1. Ce sont uniquement des traits ayant un rapport avec sa vie professionnelle : socialiste, syndicaliste, ministre de l'intérieur chargé des affaires sociales.
2. a, b et c. Pour éviter la répétition de Ruth Dreyfus, on a recours à la reformulation. C'est ainsi qu'on la nomme successivement « une femme » avant de la présenter, puis par « l'ancienne syndicaliste et partisane de l'Europe », elle, (madame la) Ministre de l'Intérieur chargée des Affaires sociales.
3. b

Page 51

2. 1. « Il est le plus grand maire de l'histoire de New-York. » Elle est exprimée au début du paragraphe. Le reste du paragraphe consiste à fournir des preuves en jouant sur la qualification de « grand » (par la taille ou par les réalisations).
2. Reformulations : un géant – il – l'Italo-américain de 52 ans.
3. La réduction des inégalités
4. Physiquement en tout (sous-entendu : moralement aussi ...). Michael Bloomberg pourrait être décrit ainsi en prenant le contraire des caractéristiques de Blasio : De taille moyenne, regardant ses interlocuteurs droit dans les yeux, républicain, peu enclin à combattre les inégalités, bien habillé, milliardaire, tel est Michael Bloomberg.
5. Elle diminue sa stature politique en la comparant à son air courbé quand il s'adresse à ses interlocuteurs. Socialement, Blasio n'est qu'un Américain moyen : il n'a pas beaucoup de goût ou plutôt il a un goût prononcé pour les cravates de couleur.
6. La journaliste doit regretter Michael Bloomberg qui avait de la classe et de l'argent. Elle remarque son mauvais goût vestimentaire (« seul détail notable »). Cette critique arrivant à la dernière phrase, elle laisse le lecteur sur une impression négative.
7. Oui.

Page 52

3. 1. 900 watts- 458 x 594 x 417 mm – blanc
2. Pour cause de double emploi
3. son bon état, sa puissance et son prix
4. Libre
4. 1. Le Centre des Monuments Nationaux a réhabilité à grand frais la Villa Cavrois.
2. Décor minimal, lignes géométriques pures, chef d'œuvre de l'architecture moderniste signée Robert Mallet Stevens, avec ses grandes baies au midi, ses larges terrasses, 60 mètres de longueur, cette vaste demeure articulée autour d'un demi-cylindre vertical.
3. dégradées durant les années d'abandon

Page 53

4. grandes fenêtres
5. Réponse possible : Salut, Michel. Tu vas bien ? Moi, je sors

d'une exposition où j'ai découvert une toile du Douanier Rousseau de 1907 que je ne connaissais qu'en reproduction. Le vrai tableau a été pour moi une révélation. Le tableau se découpe naturellement en quatre parties. La moitié droite du tableau est chargée d'arbres et de plantes de la jungle typique des tableaux exotiques peints par Rousseau et qui sont du goût du public de l'époque. Ses végétaux nous rappellent des plantes connues telles que l'agave, les roseaux et toutes sortes de fougères. Les fruits qu'ils portent ressemblent à de grosses poires vertes. De cette forêt compacte un long serpent, sans doute attiré par la musique, sort de la masse de plantes, s'enroule autour du tronc d'un des petits arbres de la forêt et s'approche dangereusement de la source du bruit. Le quart inférieur droit est nettement plus dégagé avec ses touffes de longues lames vertes bordées de jaune et ses cactus aux fleurs roses. Le quart gauche supérieur est occupé par le ciel d'un bleu très pâle, sur lequel se détache une lune blanche qui semble surveiller le paysage. Dans le quart inférieur le fleuve s'écoule paisiblement, coloré en vert et strié de bandes jaunes parallèles par les reflets des plantes qui bordent les deux rives. La vie grouille sous la forme de serpents noirs et d'un volatile qui tient du flamant rose et de la poule domestique. Nous découvrons la source de la musique. Une femme noire mystérieuse dont on n'aperçoit que les yeux se tient debout et joue de la flûte. Un serpent repose sur son épaule droite. Nous ne discernons pas ses traits qui restent dans l'obscurité. C'est la charmeuse de serpents ... version africaine ! Si tu vas visiter cette exposition, j'aimerais bien avoir ton avis sur ce tableau. Il n'est pas si naïf que ça !

Page 54

1. 1. On obtient le même nombre quand on totalise les rangées, les colonnes et les diagonales. Il s'agit d'un phénomène unique.
2. 40.
3. Réponse possible : Cher ami(e), je t'écris car je viens de lire que ce carré a des propriétés singulières. Je ne sais pas comment des mathématiciens ont pu trouver ces nombres mais, pour moi, le résultat a quelque chose de magique. Je crois que tu seras étonné(e) comme moi. On obtient le même nombre quand on totalise les rangées, les colonnes et les diagonales. Il s'agit d'un phénomène unique.
2. 1 IC: Le pain complet a la particularité de contenir une teneur élevée en fibres.
Renforcement : la consommation d'aliments riche en fibres est essentielle
3 raisons par ordre décroissant : accélèrent transit intestinal, réduisent faiblement le risque de cancer du côlon, contiennent des oligoéléments
2. La consommation d'aliments riches en fibres est essentielle.
3. a.
3. Les prix des matières premières ne sont pas fixes et varient selon les quantités produites, la demande des acheteurs et les circonstances. Supposons que les prix montent. C'est la situation la plus fréquente. Si les matières premières augmentent, la hausse se répercute sur les prix à la consommation. Le pouvoir d'achat des consommateurs diminue. Si le phénomène perdure, les gens peuvent perdre patience et faire grève pour que leurs salaires soient augmentés. L'augmentation des salaires entraine l'augmentation des coûts de production, ce qui à son tour fait monter les prix des produits manufacturés. Et ainsi de suite.

Page 55

4. 1. Bon ordre des opérations : 1, 2, 14, 15, 10, 11, 4, 5, 7, 12, 6, 13, 17, 16, 9, 3, 8.
2. Certaines sont redondantes : 3 et 8. D'autres évidentes : 7.
3. Oui : 3 et 8. C'est plus clair.
4. Oui, c'est préférable.

5. On peut lui faire confiance : tout est détaillé dans le bon ordre.
5. Libre

Page 56

1. 1. a. un ami, b. ses parents.
2. C'est un jeune homme habile. Il n'est pas certain que ses parents veuillent lui acheter une voiture, aussi il insiste car sa demande est plausible.
3. Des gens de classe moyenne : son père préférerait faire l'économie d'une voiture, mais sa mère lui est toute acquise.
4. Pour son père il emploie des arguments objectifs : la distance à parcourir, les moyens de transport rares, son temps de préparation aux examens. Il est prêt à vider son compte en banque pour en payer une partie. Il évoque même la possibilité de rembourser plus tard. Il veut convaincre son père. À l'intention de sa mère il glisse dans son texte des éléments plus subjectifs : il fait froid l'hiver, les transports prennent beaucoup de temps et sont fatigants. Il veut la persuader et elle est déjà de son côté prête à le soutenir près de son père.

Page 57

2. 1. Gabrielle vient d'apprendre le souhait d'Edward d'envoyer leur fille dans une école anglaise. Elle reçoit la nouvelle comme une blessure. Le choc est si fort qu'elle en perd la parole.
2. Edward n'est pas de notre monde. C'est un étranger. C'est un catholique élevé avec des protestants. Il ne pensera jamais comme nous. C'est lui qui décidera de tout pour les enfants.
3. Un étranger reste un étranger.
4. La romancière touche au problème universel de la haine et de la peur de ce qui est différent, de la difficulté de fédérer des gens de coutumes, d'éducation, de religion, de statut social différents.

Page 58

3. 1. Réponse possible : Ici, tout le monde souffre à cause de la pollution. Nous habitons au cœur de la ville, là où les bâtiments sont les plus hauts. Ils offrent les plus grandes surfaces extérieures si bien qu'elles emmagasinent toute la journée de l'air chaud qui contient d'innombrables particules d'aérosols. C'est pourquoi nous respirons l'air le plus pollué de la ville. De plus les embouteillages sont fréquents surtout aux heures de pointe, ce qui a pour effet d'allonger tous les temps de transport et d'augmenter la pollution. Étant donné qu'il fait très chaud et qu'il n'y pas un souffle d'air, nous ne pouvons pas y échapper. Elle se fait plus intense année après année. C'est pourquoi je veux quitter cette ville avant que ça devienne trop insupportable.
2. Réponse possible : Je te comprends. Tous tes arguments sont valables, mais réfléchis bien avant de prendre une décision. Vu de loin, tu pourrais penser que la vie à la campagne est idyllique. Ce qui n'est pas le cas. Même ceux qui sont nés ici veulent partir. Pense à ta famille et à tous les problèmes que te causeraient l'installation, l'école des enfants, le changement de travail et de salaire, etc.

Page 59

4. 1. semble promise – pourtant, la technique n'est qu'en développement (ne...que restrictif) – roulera-t-elle vraiment un jour et remplacera-t-elle la voiture manuelle ? (verbes au futur et forme interrogative).
2. Dans la première partie du texte,
3. Le « oui » de Pierre-Louis Desprez.
4. b.
5. Elle entraînera une révolution socio-culturelle.
6. Avantages : beaucoup moins d'accidents sur les routes – les gens peuvent travailler pendant les trajets en voiture – on peut envoyer ses enfants à l'école seuls. Désavantages : Vie ralentie au rythme de la vitesse des voitures.
5. 1. Un bienfait : les robots travaillent pour l'homme – gain

de temps - création de nouveaux métiers. Un danger : moins d'emplois pour les hommes – devenus intelligents, ils pourraient devenir autonomes et se retourner contre nous.
2. Libre

Page 60
1. Libre
2. 1. Conseils b, e, g, h à éliminer.
2. Libre

Page 61
3. 1. beurre, sucre, raisins secs.
2. 1 Préparez un moule de 24 à 28 centimètres.
2 Beurrez-le pour que la pâte ne s'attache pas.
3 Faites chauffer le four à 190 degrés.
4 Faites fondre les 125 grammes de beurre.
5 Avec une cuillère en bois mélangez dans un saladier le beurre fondu chaud avec les 125 grammes de sucre.
6 Puis ajoutez les 3 œufs entiers en les fouettant bien.
7 Incorporez la levure aux 200 grammes de farine.
8 Versez la farine dans le mélange précédent par petites doses afin d'obtenir une pâte onctueuse.
9 Versez les raisins dans la pâte et remuez avec la cuillère de bois.
10 Versez dans le moule.
11 Mettez dans le four à 190 degrés et faites cuire 25 minutes.
12 Puis baissez le four à 120 degrés et laissez cuire une petite heure.
13 Sortez le cake du four.
14 Démoulez le cake.
15 Laissez-le reposer 24 heures avant de le servir.
3. Recette du cake pour 4 personnes
Ingrédients :
200 grammes de farine – 125 grammes de beurre – 125 grammes de sucre – 125 grammes de raisins secs – 3 œufs – 1 sachet de levure – pincée de sel
Temps de préparation : 30 minutes environ
Temps de cuisson : 25 minutes
Préparez un moule de 24 à 28 centimètres. Beurrez-le pour que la pâte ne s'attache pas. Faites chauffer le four à 190 degrés. Faites fondre les 125 grammes de beurre. Avec une cuillère en bois mélangez dans un saladier le beurre fondu chaud et les 125 grammes de sucre en poudre. Puis ajoutez les 3 œufs entiers en les fouettant bien. Incorporez la levure aux 200 grammes de farine. Versez la farine dans le mélange précédent par petites doses afin d'obtenir une pâte onctueuse. Versez les raisins dans la pâte et remuez avec la cuillère de bois. Versez dans le moule. Mettez dans le four à 190 degrés et faites cuire 25 minutes. Puis baissez le four à 120 degrés et laissez cuire une petite heure. Sortez le cake du four. Démoulez le cake. Laissez-le reposer 24 heures avant de le servir. Essayez cette recette et servez le cake au petit-déjeuner.

Faites le point
1. Comment fonctionnent les transports urbains ?
2. Une aventure dans le métro
3. Visite d'un centre de commande
4. Faut-il renouveler entièrement le parc d'autobus ?
5. Guide de l'usager

UNITÉ 6 : MODES DE DÉVELOPPEMENT

Page 64
1. 1. a
2. d
3. la plupart – peu – seule
2. 1. Par exemple : En ce qui concerne les vacances, les goûts évoluent.
2.

PC	
Beaucoup de vacanciers	les partisans de l'activité à tout prix
Entre 30 et 50 ans	surtout les jeunes
	Mais le mouvement gagne ...
	Même les personnes du troisième âge

Page 65
3. 1. a. 2, 1, 4, 3 – b. 4, 2, 1, 3
2. a. 2 – b. 4. Les trois autres phrases illustrent et renforcent la phrase-clef.
4. 1. Toutes les hôtesses de tourisme ont besoin de savoir une langue étrangère.
2. La plupart des étudiants / Presque tous les étudiants en médecine lisent des journaux médicaux.
3. Plus d'un pensent que la forme idéale de travail est le temps partiel.
4. 40% des actifs sont des salariés.
5. 20 millions de téléspectateurs suivent le tirage du loto à la télévision.

Page 66
1. 2. 1. Veste : vêtement masculin ou féminin qui couvre le buste et les bras et qui, en général, se ferme avec des boutons.
2. Chemise : vêtement porté par les hommes et les femmes sur la peau qui couvre le buste et descend jusqu'aux cuisses.
3. Jupe : vêtement de femme qui couvre le bassin et une partie des jambes.
4. Manteau : vêtement d'hiver masculin ou féminin qui se porte au-dessus d'autres vêtements et qui tient chaud.

Page 67
2. 2. 1. Une navette spatiale permet d'explorer l'espace. Elle peut revenir sur terre et peut être réutilisée.
2. Un ordinateur sert au traitement de texte, à la gestion de base de données, à faire des calculs et aussi à consulter Internet.
3. Le téléphone sert à se parler à distance.
3. Réponses possibles :
1. Le tigre est le plus gros des félins. Certains tigres peuvent atteindre 2m50 de longueur. C'est un carnassier dangereux. Son pelage est jaune, zébré de marron foncé. Les tigres sont une espèce menacée.
2. Le pin appartient à la classe des pinacées. Il affectionne les terrains sablonneux. Il en existe de nombreuses espèces (111).
3. La rose est la reine des fleurs. Elle se caractérise par ses multiples rangées de pétales finement imbriquées qui lui donnent une forme évasée caractéristique.
4. Réponses possibles :
1. C'est un moyen d'échange et de mesure de la valeur des choses. L'argent peut prendre de multiples formes. Il favorise le commerce et peut exciter des convoitises.
2. Tous les gens dans les sociétés modernes. Il y a des exceptions parmi les sociétés primitives qui utilisent encore le troc.
3. Il est utile parce qu'il favorise les transactions. Il est dangereux parce qu'il excite les convoitises.
4. Libre

Page 68
1. 1. Pluie – on pourrait partir aussi d'un niveau de généralité plus élevé, intempéries par exemple.

2. fine + lente / marine + coups de vent / subite + abondance + passagère / forte + grêle / abondance + subite / torrentielle + dangereuse.
3. Des termes génériques comme sièges, animaux, loisirs.
2. 1. véhicules – 2. mammifères – 3. fauves.

Page 69
1. 1. Il se compose d'une entrée, d'un séjour, d'une chambre avec salle de bains, d'un bureau, d'un couloir, d'une penderie, d'un WC et d'une cuisine.
2. Petite annonce : À vendre grand appartement situé au 6ème étage avec ascenseur. Il se compose d'un grand séjour, d'une grande chambre avec salle de bains, d'un bureau accessible directement du palier, une entrée, une cuisine équipée et une grande terrasse. Excellent état. Orientation sud sud-est. Prix : 650 000 euros.

Page 70
2. 1. Libre
2. Libre
3. Avis de recherche : Jeune fille, 17 ans, vêtue d'un pull bleu roi à manches longues et d'une jupe jaune cheveux châtain bouclés, visage ovale, front haut, sourcils noirs bien dessinés, yeux noirs, nez droit. Elle est souriante et est toujours de bonne humeur.

Page 71
4. 1. Éléments mentionnés : yeux (grands – levés – bleus), cheveux (noirs à grosses boucles), front, oreille (cachée), sourcils (fins), bouche (ronde), lèvres (charnues), menton (fin).
2. Visage : pureté de l'ovale - beauté, Cheveux : lisses qu'on a peignés en grosses boucles et Sourcils : bien dessinés au crayon - netteté, Yeux : grands et bleus – douceur, Bouche : fermée - timidité.
5. Libre
6. 1 Georges Bizet. – 2 Francis Poulenc. – 3 Olivier Messiaen. – 4 Claude Debussy.

Page 72
7. 1. Lèvres (bouche) écartées en un large sourire ; yeux rieurs, mi-clos, derrière des lunettes d'écaille ; un front dégagé ; cheveux rares, mal coiffés.
2. Jugement : elle me fixait ; elle vous écoute, vous donne confiance, vous encourage. Sentiments : elle respire la sympathie, l'humour, l'intelligence.
3. En quelques instants elle devient si proche de vous que vous pouvez la confondre avec votre grand-mère.
4. Le passage de l'imparfait au présent marque cette proximité qu'elle sait créer, le passage de la simple expression de faits passés à la proximité que crée le présent.

Page 73
1. 1. Le vieux et son chien ont fini par se ressembler. Ils ont l'air de la même race. L'aspect maladif de Salamano est celui du chien : perdre presque tous ses poils, le couvre de plaques et croûtes brunes (chien) / des croûtes rougeâtres sur le visage et le poil jaune et rare (Salamano). Le chien a la même allure voûtée que son propriétaire : une sorte d'allure voûtée, le museau en avant et le cou tendu. L'impression est beaucoup plus vive qu'une simple description du vieux Salamano.
2. Elle a d'abord une fonction descriptive. La comparaison met plus d'accent sur la pitié et le dégoût qu'on peut ressentir devant un homme comparé à un chien galeux. Elle a également une fonction explicative. À force de vivre ensemble, le vieux a fini par lui ressembler.
2. 2. Prix, entretien, délais, environnement. Les différences les plus significatives portent sur le prix (près de 10 fois plus coûteux pour l'installation du tramway), l'entretien (1 salaire de plus) et les délais (plusieurs mois). De plus c'est une installation fixe : il n'y a pas de possibilité de changer de parcours. Tous ces facteurs sont défavorables au tramway. Mais si on donne de l'importance à la préservation de l'environnement, à la conduite automatique, au nombre de voyageurs transportés, ces facteurs jouent en faveur du tramway. L'importance de l'investissement initial pour le tramway et les délais causés par les travaux d'installation, l'impossibilité de changer le parcours (la souplesse d'utilisation), l'espoir de trouver un carburant moins cher et moins polluant que l'essence peuvent faire pencher la balance en faveur du bus.

Page 74
3. Réponse possible : La question à l'ordre du jour porte sur la modernisation de notre réseau de transports. Nous en avons longuement débattu lors de nos réunions précédentes sans avoir pu arriver à un accord. Par contre, nous avons avancé dans la mesure où nous pouvons vous fournir aujourd'hui des chiffres de dépenses plus précis. Le coût de l'installation d'une seule ligne de trois kilomètres absorberait notre budget transports de deux années. C'est une somme relativement élevée pour une ville de moyenne importance comme la nôtre qui alourdirait encore nos dettes déjà conséquentes. Je sais, la qualité de l'environnement n'a pas de prix. Mais considérez, mes chers collègues, qu'avec les progrès de la recherche nous pouvons faire le pari d'un carburant non polluant moins cher que l'essence…
4. Réponse possible : Un jeu de balle, ancêtre du football, la soule, se jouait au Moyen-âge, mais jusqu'au XIXème siècle il n'était pas question de différencier les jeux. C'est dans la seconde moitié du XIXème siècle que les règles du football et du rugby se sont différenciées et que des compétitions internationales purent avoir lieu.
Principales différences :

Rugby	Football
Usage des mains et des pieds	Usage exclusif des pieds et de la tête
Balle ovale	Balle ronde
Deux mi-temps de 40 minutes	Deux mi-temps de 45 minutes
15 joueurs par équipe et 6 remplaçants	11 joueurs et 3 remplaçants
Un joueur passe la ligne de buten portant la balle	Un joueur envoie la balle dans le filet des buts
Essai 5 points, transformation 2 points, pénalité transformée 3 points	Un but : 1 point

2. Libre
5. 1. Libre
2. Réponse possible : Chers amis, alors, c'est décidé. Vous allez quitter notre village pour vivre dans une grande ville. Vous n'avez pas encore décidé laquelle. Vous hésitez entre Bordeaux et Toulouse qui ont chacune pas mal d'avantages mais aussi des inconvénients. J'ai habité les deux, aussi je peux vous donner mon avis. Les deux villes sont comparables pour la taille, les offres culturelles et la qualité de vie. Bordeaux est une ville-musée du XVIIème siècle. Sous Louis XV, furent construits le centre ville, la place Gambetta, le cours de l'Intendance, le Grand Théâtre, les allées de Tourny. Le jardin public est dessiné avec goût. La ville possède une série d'autres monuments dignes d'une visite approfondie : la façade du port avec ses mascarons, le Pont de Pierre, etc. Le réseau de transports en commun est très pratique. Mais Toulouse n'est pas à rejeter pour autant. C'est la capitale du Sud-Ouest. Ville très active, elle a beaucoup d'atouts à faire valoir. Tout comme Bordeaux, la « ville rose » (ainsi appelée pour son utilisation de la briquette romaine) offre des merveilles

architecturales : la place du Capitole, la cathédrale Saint-Sernin, le couvent des Jacobins...

Page 75
1. 2. 1 éclairante mais restrictive ; 2 amusante ; 3 tendancieuse ; 4 tendancieuse.
2. 1. Une hirondelle ne fait pas le printemps : Il ne faut pas se précipiter sur les nouveautés mais attendre qu'elles aient fait leurs preuves.
2. Après la pluie, le beau temps : La vie n'est pas figée. Les situations changent. Les retournements sont fréquents. Espérez.
3. Cette analogie illustre la difficulté de l'écriture pour la plupart d'entre nous. Elle ne résout pas nos difficultés. Pour trouver une analogie plus suggestive, c'est du côté des artistes qu'il faut regarder. Le choix des couleurs s'apparente au choix des mots. La solidité du paragraphe est parallèle à la solidité du dessin. Le texte long serait le tableau fini présenté au public...

Page 76
1. Entre les mers et les océans et la terre, l'échange d'eau est permanent. Lorsqu'il pleut ou que les glaciers fondent de l'eau est libérée qui s'écoule ou ruisselle le long des pentes et s'accumule dans la plaine. En plus de l'eau de ruissellement en surface, l'eau s'infiltre dans le sol et crée des réserves souterraines. Sous l'effet du soleil qui rayonne, une partie de l'eau s'évapore, se transforme en vapeur d'eau qui se condense et tombe sur le sol sous forme de pluie.

Page 77
2. Réponses possibles : Ces anecdotes sont des événements historiques réels, emblématiques de l'histoire de France.
1. La prise de la Bastille est l'anecdote la plus évoquée par les révolutionnaires du monde entier. Elle évoque le pouvoir du peuple qui se révolte spontanément pour se libérer d'un système de gouvernement dictatorial et recouvrer sa liberté.
2. Charles de Gaulle bravant les tireurs isolés dans Paris tout juste libéré pour descendre les Champs-Élysées est un acte de courage patriotique qui marque toujours l'imagination des Français. Cet épisode peut être évoqué lorsqu'il s'agit de souligner un acte de bravoure patriotique exceptionnel.
3. Réponse possible : Nous habitons au cœur de la ville, **c'est pourquoi** toute notre famille souffre de la pollution qui peut **provoquer** de graves troubles de santé. Notre appartement est situé au huitième étage. **Étant donné que** l'air chaud monte, nous sommes exposés constamment à l'air chaud qui **provient** des façades des bâtiments exposées au soleil pendant le jour et libéré la nuit. Toutes les villes emmagasinent plus d'air chaud que la campagne environnante **si bien que** les particules polluantes forment une sorte de dôme au-dessus de nos têtes. **Comme** l'air est devenu irrespirable jour et nuit, nous avons hâte de partir en vacances **afin d'**échapper à cette pollution étouffante.

Page 78
1. s'accompagnerait – compenserait – mettraient – ne permettrait pas – seraient. Ces verbes sont au conditionnel.
2. serait – auraient – existerait – multiplierait - permettrait
3. 2. Réponses possibles : 1. Le bruit court qu'on a supprimé les examens de sélection.

Page 79
2. Il paraît qu'on a découvert un remède efficace contre le virus Zika.
3. L'entente entre les partis politiques serait parfaite.
4. Il y a de grandes chances qu'il soit reçu au bac.
5. Il semblerait que la manifestation ait atteint tous ses objectifs.
Faites le point
1. L'utilisation de ces diverses façons de penser et de présenter les faits et les opinions a pour but d'aider le lecteur à comprendre ce que l'auteur veut dire. Elles introduisent de la clarté et de la variété dans le texte. Elles ne préjugent pas de la logique du texte.
2. Parce que toutes les vérités ne sont pas bonnes à dire. Certaines doivent être introduites comme des hypothèses et non des certitudes sous peine de poursuites au tribunal. La modalisation est également utilisée pour faire courir des bruits impunément.
3. Pour faire mieux appréhender le terme X si on le juge difficile pour son interlocuteur, on établit un rapport avec un autre terme Y bien connu de l'interlocuteur. Ex. : Pour faire sentir à un Français l'importance de l'humour en Angleterre : « L'humour est aux Anglais ce que la cuisine est aux Français. »

UNITÉ 7 : LE TEXTE LONG

Page 82
1. 1. Le journal répond aux diverses critiques, présente ses excuses le cas échéant et publie un rectificatif.
2. Il répond aux critiques des lecteurs, intervient parfois auprès des journalistes.
3. 1 : Un journaliste doit respecter la vie privée des gens et la présomption d'innocence entre autres. 2 : La profession peut se référer à la Charte des devoirs et des droits des journalistes qui date de 1971. 3 : Certains journaux publient leur propre code de déontologie. 4 : Malgré les mesures prises, il se produit quelques dérapages.

Page 83
4. Réponse possible : **De nos jours**, un journaliste (...) entre autres. **Il** peut se référer à la charte (...) qui date de 1971. **De plus** certains journaux (...) déontologie. **Mais**, malgré (...) il se produit quelques dérapages.
2. 1. un journaliste – pour les lecteurs du magazine – sur les hommes politiques français qui nous gouvernent – dans un but critique – un éditorial dans un magazine.
2. de leaders – ces sommités de la pensée – nos seigneurs des neurones.
3. Réponse possible : 1 : Nos politiques prennent leurs électeurs pour des idiots. 2 : *Alors que* David Cameron et Angela Merkel ont fait confiance à leurs électeurs qui les ont réélus. 3 : *Mais* en France nos grands stratèges pensent qu'il faut faire des promesses pour être élu. 4 : *C'est pourquoi* nos deux derniers présidents ont été battus. Ils ne se sont pas attaqués aux vraies réformes. 5 : La courbe de l'intelligence se serait-elle inversée ?

Page 84
1. 1, 4, 6, 3, 5, 2, 7

Page 86
2. 1. Comment utilise-t-on nos impôts ? *C'est le* nouveau pavé lancé par de Closets, le redresseur de torts. *Notre* système perverti marche à l'envers *parce qu'il* privilégie dépenses. L'État *est* incapable de résister *car la* valeur en politique s'évalue aux dépenses et non aux résultats. *Les* causes de cette rage budgétaire *sont connues. Notre* classe dirigeante gaspille des milliards. *C'est* une corruption douce, jamais dénoncée, *qui menace notre* démocratie.

Page 87
2. a. un journaliste de L'Express, hebdomadaire de tendance politique du centre. b. pour les lecteurs du magazine. Ce sont surtout des gens des classes moyennes d'un niveau d'éducation bac +. c. sur l'état des finances publiques. d. dans une intention critique.
3. a. Un bon ministre est celui qui a réussi à augmenter son budget. b. Cette rage budgétaire est cause fondamentale du gaspillage. c. le meilleur gestionnaire est le plus dépensier.

d. foncer la tête la première dans les technologies d'avant-garde. e. des grands projets prestigieux mais ruineux car mal maitrisés. f. Il semble plutôt relever d'une loi...

4. a et b.

5. a. attitude vis-à-vis des politiques : critique. b. système de valeurs : pas respecté. c. attachement à la démocratie : mais menacée par ceux qui s'accommodent de ses défauts.

6. a. Nous vivons au pays du gaspillage généralisé. Il découvre « l'irresponsabilité et le clientélisme, le laxisme et la gabegie ». b. Que la France aurait la possibilité d'éviter la crise si elle se réformait.

Faites le point

1. Étapes : 1. Recherchez la phrase clef de chacun des paragraphes. Inventez-en une si le paragraphe n'en possède pas. 2. Réunissez ces phrases clefs avec des connecteurs (mots ou expressions servant de liens logiques) et faites-en un texte suivi.

2. On peut dresser un parallèle entre l'idée directrice d'un texte et l'idée centrale exprimée dans la phrase-clef d'un paragraphe. Elle doit apparaître dans l'introduction du texte.

3. Certainement. (Se référer à l'exercice 2 p85, texte de Dominique Simonnet)

UNITÉ 8 : ÉCRIRE, C'EST RÉÉCRIRE

Page 92

1. 1. et 2. 1 Si, en cas de chute ou de choc, on percute sa boite crânienne, on est en danger, mais l'organisme possède un disjoncteur naturel.

2 En cas d'échec **de ce disjoncteur**, on évacue l'hématome par trépanation ; si le saignement se poursuit il faut faire une intervention chirurgicale.

3 **De plus**, on dispose de deux nouveaux moyens, le refroidissement du corps ou le coma artificiel.

4 **En France**, les 150.000 traumatismes annuels passent en général inaperçus, mais les gens qui ont subi une perte de connaissance doivent être emmenés à l'hôpital.

Page 93

2. 1. Le mot désigne tous les véhicules se déplaçant sur terre à l'aide d'un moteur et de roues. On les divise en trois catégories, les voitures particulières qui transportent des personnes, les véhicules conçus pour le transport en commun des personnes (autocars, bus) et les autres qui transportent des marchandises et des matériaux (camions, camionnettes, tracteurs).

2. Automobile *n.f.* Véhicule muni d'un moteur destiné aux transports publics ou familiaux (abrév. dans la langue parlée : auto, voiture est plus usuel). Avoir un accident d'auto(mobile). Le Salon de l'auto (= exposition des nouveaux modèles). Une file d'automobiles sur la route. Ranger/ garer sa voiture le long du trottoir.

3. L'écrivain canadien Dany Laferrière vient d'être élu à l'Académie Française. Il avait reçu le prix Médicis en 2009. Son dernier livre « Journal d'un écrivain en pyjama », traite des rapports entre littérature et écriture. Il occupera le fauteuil d'Hector Bianciotti.

Page 94

1. 2. Réponses possibles : a. faire des provisions, aller au marché ou dans une grande surface, acheter des légumes, des fruits, de la viande, du poisson, du pain, rentrer chez soi avec le sac plein de provisions, mettre la nourriture dans le réfrigérateur, éplucher les légumes, les faire cuire, sortir la viande du réfrigérateur, etc. b. parcourir des catalogues, repérer un objet sur Internet, trouver un objet qui vous convient dans une vitrine, entrer dans le magasin, expliquer à un(e) vendeur./vendeuse ce que vous voulez, examiner quelques objets similaires, réfléchir, demander des renseignements, se

décider, payer, demander un emballage cadeau. c. consulter les horaires et les prix, commander le billet sur Internet ou aller dans une agence, expliquer ce qu'on veut, demander s'il y a des promotions, etc.

2. Réponse possible : La soirée de clôture du Festival de Cannes a réuni près de 1500 personnes sous les chapiteaux de toile installés près du Palais des Festivals. Le champagne a coulé à flots. Le directeur du Festival, monsieur X. a remercié chaleureusement tous ceux qui avaient participé à sa réussite, en particulier, les grands acteurs venus nombreux sur la Côte. Il a annoncé que le prochain festival serait inauguré le 14 mai 2014 avec le film « Grace de Monaco » dans lequel Nicole Kidman sera la vedette, etc.

Page 95

1. 5, 2, 1, 6. Éliminez 3 et 4.

2. 1. 1-3-2-5-7-6-4

2. Réponse possible : À la suite d'une longue période de concertation avec les intéressés au sujet du projet de construction de l'aéroport, le gouvernement a décidé de poursuivre les travaux interrompus par les manifestations conduites par les écologistes. Les réunions de plus de dix personnes sont désormais interdites sur toute l'étendue du chantier. Rappelons les arguments retenus pour aller de l'avant. Une région de France marginalisée par le manque de transports sera revitalisée. Elle attirera des investisseurs qui créeront des emplois dont le pays a le plus grand besoin, à commencer par ceux créés pour sa construction. Cette réalisation constitue une étape importante dans la modernisation de notre pays. La réussite du projet sera une preuve de notre savoir-faire, une vitrine pour nos entreprises qui nous vaudra certainement des commandes de l'étranger. Le budget accordé pour la réalisation de ce projet sera strictement contrôlé et restera relativement bas si les travaux ne sont pas perturbés par des manifestations illégales.

3. Réponse possible : Le gouvernement croit nous intimider en brandissant la menace de juges. Si ces juges sont indépendants comme ils devraient l'être, qui dit qu'ils nous donneront tort, qui peut présumer de leur décision ! Il est faux de parler de concertation préalable. Nous, les représentants des agriculteurs qui vivent sur ce territoire, sommes directement concernés et nous n'avons pas été consultés, que je sache ! Notre région n'est pas marginalisée. Les gens qui veulent nous voir disposent de deux aéroports dans deux grandes villes voisines. Les investisseurs ne s'intéressent pas à nous car nous sommes une région à vocation strictement agricole. Vous croyez que vous pouvez l'ouvrir à l'industrie et au commerce avec la construction de ce seul aéroport ? Et que va-t-il arriver à ces familles que l'on chasse de leurs exploitations ? De plus, contrôler le budget est un leurre. Pas un seul projet d'envergure n'a été réalisé ces dix dernières années sans multiplier par trois le budget initial ! Cet argent devrait être dépensé dans des domaines comme la santé et l'emploi pour bénéficier à tous les Français et non à un petit groupe d'entrepreneurs des travaux publics et à leurs intermédiaires. Enfin nous luttons pour préserver le visage du pays que nous aimons et qui menace d'être défiguré par le béton des promoteurs.

Page 96

1. 1. a. Il manque une information essentielle dans ce résumé : Lucas Steiner. Il est toujours caché dans les caves du théâtre. b. « Il » ne fonctionne pas comme substitut de Lucas Steiner. (ligne 4). Utilisez « le metteur en scène » par exemple.

2. Réponse possible : C'est un film de François Truffaut. L'histoire se passe à Paris sous l'occupation allemande. Le directeur du Théâtre Montparnasse, Lucas Steiner, qui est juif, s'est caché dans la cave du Théâtre. C'est sa femme, Marion, qui dirige le théâtre avec son aide. Elle engage un nouveau comédien,

Bernard, et tombe amoureuse de lui. Lucas s'en aperçoit. Bernard quitte le théâtre. Deux ans plus tard, à la libération, Lucas reprend la direction et met en scène une pièce dans laquelle Marion et Bernard jouent tous les deux.

Page 97

2. 1. Ligne 2 : il ne s'agit pas d'une lettre mais d'**un article**. Ligne 3 : La télévision impose aux enfants une certaine vision du monde. Ligne 7 : Il est très difficile **d'y** échapper. Ligne 7 : arra**n**gement. Ligne 9 : ou **d'**autres programmes. Ligne 10 : la manipulation **de** la jeunesse.

2. Qui ? L'auteur exprime lui-même sa position. À qui ? L'élève répond au rédacteur d'un hebdomadaire qui a invité ses lecteurs à faire connaître leur position. Quoi ? Sur le problème de l'influence de la télévision sur la jeunesse. Pourquoi ? Il s'agit de faire connaître l'opinion des lecteurs sur un problème de société important. Comment ? Sous la forme d'une lettre à l'éditeur qui sera publiée dans l'hebdomadaire.

3. Avantages de la télévision : Très bon arrangement dans la famille ; la télévision dégage du temps au bénéfice de la mère de famille. Elle fournit des sujets de discussion entre parents et enfants. Ce que les enfants pourront voir : le journal télévisé (?), des émissions culturelles : pièces de théâtre ou classiques du cinéma.

Désavantages : Les programmes ne sont pas toujours de bonne qualité. D'où un « grand danger » pour les enfants. La télévision manipule des enfants qui n'ont pas acquis le sens critique et qui prennent tout pour argent comptant.

4. Réponse possible : *Introduction* : Il est indéniable/ C'est un fait que la télévision exerce une sorte de fascination sur la jeunesse ; jusqu'à dix ou douze ans, âge auquel ils ont développé un esprit critique, ils peuvent avoir d'autres intérêts qui les détachent du petit écran (sport, études, copains ...).

Pour : La télé est un bon passe-temps pour les petits à condition que les parents choisissent les programmes qu'ils regardent : jeux, dessins animés, et, plus tard, des programmes culturels, films classiques, pièces de théâtre, concerts, reportages, qui leur ouvrent les yeux sur le monde.

Contre : Mais la télé comporte aussi des dangers pour les petits. Elle tend à limiter la connaissance du monde et à imposer sa vision. Il est très difficile d'y échapper. Si les enfants sont livrés à eux-mêmes, n'ayant pas encore un esprit critique bien affirmé, ils risquent de se faire manipuler.

Synthèse : La télévision nous apparaît sous ses deux faces : le meilleur ou le pire des moyens de communication. Si vous avez des enfants gardez le bon côté des choses et surveiller les bien pour qu'ils n'en tirent que le meilleur.

5. Son texte ressemble à un texte libre qu'on écrit automatiquement afin de trouver des idées (cf unité 9.) Il est n'est pas organisé mais on peut y trouver des idées qui seront utilisées dans le texte définitif. L'étudiant n'a accompli que le début du processus d'écriture, la recherche d'idées. Il aurait dû : 1 pousser sa recherche d'idées, construire un réseau pour affiner et compléter ses premières trouvailles à l'aide de l'écriture automatique. 2 planifier son texte, par exemple choisir la version codée de l'argumentation. 3 réécrire son texte. 4 évaluer ce nouveau texte.

Faites le point

1. Il faut relire attentivement son texte, l'évaluer en fonction des cinq critères de la communication, et le reprendre pour l'améliorer.

2. Un texte n'est jamais fini. Il y a toujours des améliorations à apporter

3. 4

UNITÉ 9 : COMMENT TROUVER DES IDÉES

Page 100

1. Libre. Ex. : la protection de la nature : l'écologie – les produits bio – notre mère nature – l'agriculture – la santé – les éoliennes – la pollution – l'énergie durable – la révolution industrielle – la voiture électrique.

2. Libre

Page 101

3. Liste possible : libération – esclavage – poème d'Eluard – enchaîné – luttes – révolution – libre-arbitre – démocratie – jouir de. Réponse possible : La liberté est le bien le plus précieux. En démocratie les gens sont libres de penser, de parler, d'écrire de critiquer, de faire ce qu'ils veulent. Mais que dire de ceux qui, asservis par une dictature ou une religion, n'ont le droit que de se taire, de courber le dos, de subir les pires sévices ? La liberté est un bien si précieux que beaucoup risquent la mort pour elle. Alors, protégeons notre liberté actuelle et souhaitons qu'elle dure !

4. Libre. Réponse possible : La voiture sans pilote. Bientôt vous pourrez lire les nouvelles dans un véhicule qui vous emmènera le matin au bureau. Vous pourrez même discuter des nouvelles avec une voiture intelligente. Vous ne serez plus responsable des accidents. C'est votre voiture qui sera convoquée au tribunal ! Venez visiter notre exposition des véhicules de l'avenir !

5. Libre

Page 102

1. Libre

2. Libre

3. 1. d et e, 2 faits : vos trois enfants – vous avez trouvé un travail – b, un jugement de valeur : ce n'est pas juste.

2. Libre

Page 103

1. Réponses possibles : moyens : navette spatiale, voyageurs célèbres : Phileas Fogg, pays : le Tibet, la Thaïlande, villes : Bilbao, Moscou, motifs de voyage : vendre des produits.

2. Réponse possible : modernité, transformation de la société, avancées technologiques rapides, etc.

Page 105

1. Libre. Sujets possibles délimités grâce au réseau : Où allez ? Par quels moyens ? Dans quel but ?

2. Libre

Page 106

1. Libre

2. 1. Libre

2. Réponse possible : C'est un animal effrayant. Il est noir et il a la taille d'un éléphant, mais il est deux fois plus gros. En effet, il possède deux corps, deux têtes hideuses et deux longues queues qui se terminent toutes les deux par d'énormes griffes. Il a huit pattes, malgré sa masse, il peut se déplacer à l'allure d'un cheval au galop. Il émet des grognements terrifiants. Cet animal ne se déplace que la nuit. On l'entend roder près des maisons. Heureusement pour nous, il est herbivore. C'est le grand ennemi de...

Page 107

Faites le point

1. 5 façons

2. à structurer des textes codifiés culturellement.

UNITÉ 10 : DE LA LANGUE COMMUNE À LA LANGUE LITTÉRAIRE

Page 110

1. Qui ? Une narratrice qui représente (peut-être) l'auteure dans ce roman largement autobiographique. Pour qui ? Pour ses lecteurs mais aussi pour elle-même pour voir plus clair en elle. Quoi ? Ses contradictions, sa double personnalité, ses questions, ses doutes. Pourquoi ? Pour mieux comprendre ses problèmes et ses douleurs. Comment ? En écrivant un roman.

2. radine – radinerie – dépenser – sans compter – ne pas compter – radine – payant – fric – économisé – paie-plus-vite-que-son-ombre - radine – calcule – radinerie – rentabiliser – amasser – réserve sonnante et trébuchante – salle au trésor – pièces d'or – investir – faire fructifier – capital.

3. Ce nombre très élevé de références à l'argent montre le caractère obsessionnel que l'argent a pris dans sa vie, au point de dire que tout ce qu'elle fait est dicté par l'amour de l'argent.

4. Vivre c'est dépenser, jouir, donner sans compter.

5. Parce qu'elle est en perpétuel déséquilibre. Elle a une certaine définition de la vie qu'elle voudrait vivre, mais elle est obsédée par sa radinerie. Elle est frustrée et sa frustration lui gâche la vie. Elle est en colère contre elle-même mais elle est incapable de réagir.

6. De tout subordonner dans sa vie à l'argent, même son art.

7. 1. a. C'est un dialogue avec elle-même dans lequel il n'y a pas d'interruptions entre les questions (je me demande ...) et les réponses. C'est ce qu'on appelle un monologue intérieur, procédé courant en littérature pour faire connaître les idées, les sentiments et les émotions qui animent un personnage.

2. L'auteure utilise les guillemets pour montrer que c'est du discours rapporté.

3. On trouve quelques concessions au parler familier : radinerie (nom formé à partir de l'expression populaire péjorative « être radin »), grand-maman (nom familier et affectueux de sa grand-mère), fric (mot familier, argotique presque, à la connotation un peu péjorative).

4. a. L'auteure file la métaphore de l'argent : amasser mon passé, salle au trésor, mon capital.

5. Il y a une rupture à la fin, « mon capital de sensations et de douleurs », qui cause surprise et émotion.

Page 111

1. Trois objets : la cafetière, la table recouverte d'une toile cirée sur laquelle elle est posée, un carreau de céramique. Il ne décrit que la partie visible des objets.

2. La toile cirée, puis le dessous de plat, enfin la cafetière

3. La forme et les couleurs font l'objet d'une description soignée minutieuse et complète. On peut s'en faire une représentation très précise.

4. a, b et c. L'auteur modalise (peut-être, si l'on veut, ou plutôt, ce serait) comme s'il n'était pas sûr d'affirmer ce qu'il décrit. C'est une coquetterie de l'auteur à la recherche de compliments sur sa prouesse de description.

5. Elle est précise et complète, mais elle ne concerne que l'extérieur de objets ou plutôt ce qu'on en voit.

6. 1. a. C'est un texte qui imite un rapport scientifique par sa minutie dans l'observation.

2. a. Le texte est ciselé et ne laisse rien au hasard, mais son objet est sans importance et n'est décrit que de l'extérieur. L'auteur se délecte en faisant une description minutieuse qui n'est qu'un exercice de style. C'est un prétexte à un beau texte. C'est de l'art pour l'art et le plaisir d'une description improbable.

3. La forme de la cafetière comparée à une oreille humaine surprend. b. Cela provoque une sensation de décalage.

Page 112

1. Strophe 1 : le poète s'identifie au pont qui demeure. Il est optimiste et veut se persuader que les amours s'enfuient, puis reviennent : il exprime la joie et l'espérance. Strophe 2 : l'amour est stable. Les jours passent et les deux amants restent liés par les mains. Le temps de l'amour exprime la lassitude. Mais il espère encore. Strophe 3 : son amour s'en va. Il ne peut plus l'en empêcher. Sa vie ralentit. Strophe 4 : tout s'en va, les amours et la vie, mais pas le pont, la mémoire. Le refrain vient comme un leitmotiv renforcer l'image de la vie qui finit et de la mémoire du poète qui demeure.

2. a : Ce poème, dont la structure est répétitive, est comparable à une ritournelle des rues. Le rythme obtenu par la structure régulière correspond à la musique jouée par un orgue de barbarie. Il a d'ailleurs été mis en musique.

3. Le 1er mot de la 1ère strophe couplé avec 1e 1er mot du refrain : sous- vienne. C'est un poème du souvenir, du regret : le poète reste debout, mais le temps et ses amours lui échappent. L'effet du temps use l'amour.

4. Dans les deux premières strophes, il y a deux personnages: nos amours, m'en souvienne, nos bras, restons face à face.

5. Dans les deux dernières strophes, le poète généralise son expérience personnelle : l'amour s'en va. Au lieu d'utiliser des possessifs il emploie l'article défini.

6. Sa composition est minutieuse. L'absence de ponctuation favorise les interprétations. L'inversion du verbe et du sujet : vienne la nuit – sonne l'heure. Les assonances : sonne l'heure - je de-meure (association : heure de la mort et permanence du souvenir). Les ruptures de rythme : 3 vers de dix pieds, mais le premier décasyllabe est coupé en deux et provoque une rupture. Sa richesse en dépit de son apparente simplicité (nombreux échos internes) : comme la vie est lente – l'espérance est vi-o-lente. Le choix des images pour exprimer la permanence, celles du pont et du passage : coule la Seine.

1. Les signes orthographiques qui aident à lire

a. Les règles de ponctuation

Par écrit, le découpage et les articulations de l'énoncé sont marqués par des signes de ponctuation :
- le point (.) qui marque un pause à la fin d'une phrase.
- le point d'interrogation (?) et le point d'exclamation (!) qui marquent la fin d'une phrase ainsi que sa nature.
- le point virgule (;) qui marque une pause entre des propositions.
- la virgule (,) qui marque une légère pause entre des groupes ou des propositions, et permet de détacher ou de mettre en valeur des parties de l'énoncé.
- les deux points (:) qui annoncent une explication ou une citation.
- les guillemets (« ») qui encadrent des énoncés au style direct.
- les parenthèses () qui mettent à part dans l'énoncé une remarque non essentielle.
- les points de suspension (...) qui indiquent que la phrase pourrait se continuer.
- le tiret (-) qui désigne le changement de personne qui parle dans le style direct.

Attention ! Pas de virgule entre sujet et verbe, verbe et complément d'objet, avant « et » et « où ».

a. Les signes orthographiques

- l'apostrophe (') indique la suppression (ou l'élision) d'une lettre en général de a, é ou i.
- la cédille (ç) ne se trouve que sous le c prononcé alors s devant a, o, u.
- le trait d'union (-) sert à lier les parties de mots composés (c'est-à-dire, dix-sept). Il sert également à diviser les mots en fin de ligne.

Attention ! Ne jamais diviser entre deux voyelles ou avant la syllabe muette finale : ca-mion et non cami-on.
Couper après la voyelle s'il n'y a qu'une seule consonne : gé-né-ra-le-ment.
Couper entre deux consonnes sauf si la seconde est r ou l : ar-ticle, per-mis-sion, as-surer, thé-âtre (et non théâ-tre), mais en-tre-prise, ta-bleau.
Couper après la première consonne s'il y en a trois et si la troisième est r ou l ; ar-bre, exem-ple. Sinon couper entre la deuxième et la troisième : comp-ter.

Les lettres majuscules s'emploient au début d'une phrase et au début d'un nom propre ou d'un titre (Monsieur, mais monsieur Durand).

2. La formation des mots

Attention ! Ces règles ne sont valables que pour la compréhension des dérivés, mais pas pour la production !

• En effet, elles comportent des exceptions qui sont autant de pièges. Par exemple, considérez la formule nom ou adjectif suffixe -eur → nom féminin : blanc → blancheur. Elle fonctionne avec noir et avec rouge, mais pas avec les autres couleurs.

• De plus, le suffixe peut exiger des modifications orthographiques. Par exemple, le suffixe -ion peut exiger des lettres nouvelles pour s'ajouter au verbe : permission, aviation, traduction...

Par suffixation

-able : nom → adjectif : vérité / véritable

      verbe → adjectif : manger / mangeable

-age : nom → nom : pays / paysage

      verbe → nom : déraper / dérapage – arroser / arrosage

-al : nom ou adjectif → adjectif : caricature / caricatural

-ard : verbe, nom ou adjectif → nom ou adjectif : riche / richard – montagne / montagnard

-esque : nom → adjectif : clown / clownesque

-eur : adjectif → nom : blanc / blancheur – bon / bonheur

-eux /-euse – -ateur/-trice : nom → nom : dessin / dessinateur – acte / acteur, actrice

-eux : verbe ou nom → adjectif : boiter / boiteux – paresse / paresseux

-ien : nom ou nom propre → adjectif ou nom : musique / musicien – Proust / proustien

-ier /-ière : verbe, nom ou adjectif → nom ou adjectif : lait /laitier – ferme/ fermier – fruit/ fruitier

-ique : nom → adjectif : méthode/ méthodique

-isme : nom ou nom propre → nom : chauvin / chauvinisme – tour / tourisme

-iste : nom ou nom propre ou adjectif → nom ou adjectif : moral / moraliste

-ité : adjectif → nom : vrai/ vérité – sonore / sonorité

-ment : verbe → nom : blanchir / blanchiment – changer / changement

-ment : adjectif → adverbe : facile / facilement – seul / seulement

-oir/-oire : verbe → nom : arroser / arrosoir

-ure : verbe ou nom → nom : cheveu / chevelure – aller / allure

-ion : verbe ou nom → nom : décorer / décoration – érudit / érudition

Suffixes verbaux

-er, -iser, -ifier, -ayer : nom ou adjectif → bavard / bavarder – code / codifier – balai / balayer

                             abandon / abandonner – recherche / rechercher

-ir : nom ou adjectif → blanc / blanchir – noir / noircir – terre / atterrir –lune / alunir

Préfixation

dé-, dés- → honorer / déshonorer

en-, em- → bras / embrasser – cadre / encadrer

in-, im- → possible / impossible – élégant / inélégant

pré- → histoire / préhistoire

r-, re-, ré-, res- → entrer / rentrer – union / réunion – prendre / reprendre

3. Le passé simple

Pour écrire un récit vous aurez besoin d'un temps grammatical, **le passé simple**. Ce temps n'est pratiquement plus utilisé qu'à l'écrit à la 3ᵉ personne du singulier et du pluriel. C'est un temps simple, assez régulier.

Je chan**tai**	Je sor**tis**	Je vou**lus**
Tu chan**tas**	Tu sor**tis**	Tu vou**lus**
Il/elle chan**ta**	Il sor**tit**	Il vou**lut**
Nous chan**tâmes**	Nous sor**tîmes**	Nous vou**lûmes**
Vous chan**tâtes**	Vous sor**tîtes**	Vous vou**lûtes**
Ils/elles chan**tèrent**	Ils sor**tirent**	Ils vou**lurent**

Irrégularités :

Il eut – il fut – il tint – il vint – il fit – il dut – il put – il crut

Elles eurent – elles furent – elles tinrent – elles vinrent – elles firent – elles durent – elles purent – elles crurent

Mais « aller » est régulier : il /elle alla – Ils / elles allèrent

Emplois :

- Le passé simple exprime que les actions ou les états appartiennent complètement au passé. Il est beaucoup utilisé par les historiens.
- Il peut désigner une action répétée dans un passé révolu, coupé du présent.
Ex. : Il le frappa par trois fois.

• Il suffit d'apprendre par cœur les troisièmes personnes du singulier et du pluriel car il n'est pratiquement plus utilisé aux autres personnes.

D'où le contraste et la complémentarité avec **l'imparfait** :
- Une action habituelle dans le passé.
Ex. : J'avais l'habitude de partir à l'aventure.
- Un état d'esprit :
Ex. : Je voulais aller au bout de mes efforts.
- Une action passée présentée comme se déroulant sous nos yeux.
Ex. : La maison brûlait et on ne pouvait rien faire.

Imprimé en Italie par «La Tipografica Varese Srl» Varese
Dépôt légal : juin 2016